# Collection folio junior

*Série "plein vent"*
*dirigée par André Massepain*

**Claude Manceron** est né en 1923. Frappé, à onze ans, par la poliomyélite, il est contraint, pendant de longues années, de garder le lit et d'abandonner ses rêves d'une vie aventureuse. Il devient « un explorateur en chambre », lisant beaucoup et se passionnant pour l'histoire contemporaine. Il écrit, fortifié par l'amitié que lui porte le grand écrivain Paul Claudel.

Il se consacre à la rééducation des paralysés et dirige, jusqu'en 1957, un centre de formation professionnelle près de Grenoble.

Son roman historique, *A peine un printemps,* reçoit le prix de l'Académie française. Il devient éditeur-conseil aux Éditions Robert Laffont et lance la revue *Janus.* Il est l'auteur de la très célèbre série *Les Hommes de la liberté.*

# Claude Manceron

# Le citoyen Bonaparte

La jeunesse de Napoléon, 1769-1796

Robert Laffont

« *C'était un petit jeune homme brun, triste, rembruni, sévère, et cependant raisonneur et grand parleur.* »

> (Souvenirs d'Aimé Martin sur le séjour de Napoléon à l'École militaire de Paris).

« *Au citoyen Napoléon Bonaparte* »

> (Projet de dédicace de Ludwig Van Beethoven au Premier Consul, pour la IIIe Symphonie, dite « l'Héroïque » — en 1803).

« *A la mémoire d'un grand homme disparu* »

> (Dédicace définitive de la IIIe Symphonie de Ludwig Van Beethoven — en 1804).

# L'arrachement

*Autun : trois mois et vingt jours
(30 décembre 1778-22 avril 1779)*

« Pendant ces trois mois, il a
appris le français. »

(Lettre de l'abbé Chardon à
l'abbé Forien)

Il vient d'avoir neuf ans. C'est son premier voyage. Il en est tout émerveillé. Jusque-là, il n'avait été que d'Ajaccio à Corte, avec son père, un cousin, un oncle, un ami, le plus souvent en croupe d'un cheval sellé à la diable dans le tourbillon de poussière des mauvaises routes. Et voilà que depuis quinze jours on dirait qu'il fait le tour du monde. Il n'avait jamais pris de bateau ni de voiture. Or ils ont été s'embarquer à Bastia, une ville qu'il ne connaissait pas et qu'il a été tout surpris de trouver presque aussi grande qu'Ajaccio. Bastia, c'est déjà l'étranger pour lui; la preuve, c'est qu'ils ont dû coucher à l'auberge, la première de sa vie. Nul parent pour héberger les quatre voyageurs. L'auberge était mauvaise, d'après son père, mais est-ce qu'il y a de bonnes auberges en Corse? Lui, il ne se serait pas plaint : du bouilli et du rôti au souper ! Il avait même eu droit à un verre de vin d'Uri coupé d'eau, avec Giuseppe. C'est aussi avec Giuseppe qu'il avait partagé un matelas dans la chambre où ils avaient couché tous les cinq, et où un vieux bonhomme grommelant était venu arranger trois matelas par terre. Un pour son père, Carlo Maria, un pour le cousin Varese, le sous-diacre, et pour l'oncle Fesch qui allait entrer au séminaire. Un pour Giuseppe et lui, et cela ne les avait pas changés : depuis qu'il avait quitté son berceau, Napoleone partageait le lit de Giuseppe, son aîné d'un an. Il en avait profité comme toujours pour le bousculer et le griffer au matin, parce que ce gros lourdaud ne se réveillait jamais assez vite.

Mais que Bastia lui semble déjà loin ! La traversée jusqu'à Livourne avait duré près de deux jours. Quelle étrange sensation, la pleine mer tout autour ! Et ce port italien dont le mouvement l'avait étourdi, où il avait vu ses premiers vaisseaux anglais, si pansus, si hauts et bourrés de canons dans leurs flancs qu'il avait demandé pourquoi ils ne coulaient pas tout seuls. Il ne faisait que commencer ses découvertes, et Gênes, puis Marseille, s'étaient chargés d'éclipser Livourne. A Marseille, il avait fallu lui tenir la main pour qu'il ne se perde pas dans la foule, dans les allées du Meilhan, entre les quatre rangées d'arbres et tous ces bancs de pierre pleins de gens habillés comme des seigneurs : mais son père lui avait dit que ce n'étaient que des marchands. Il s'était redressé, lui qui était un noble, et ne les avait plus dévisagés. D'ailleurs les quatre fontaines d'Aix lui avaient fait oublier les maisons blanches de Marseille. (Là, ils avaient laissé l'oncle Fesch, au séminaire, sans même échanger un baiser; les deux enfants n'aimaient guère ce grand jeune homme silencieux, un mélange de

Suisse et de Corse, qui ne rêvait que de finir chanoine à la cathédrale d'Ajaccio). A Lyon, place Bellecour, il avait demandé si vraiment Louis XIV était deux fois plus gros que les autres hommes, à cause de la taille de la statue géante, mais déjà il s'étonnait moins de la grande foule. Cent mille habitants ! s'exclamait Giuseppe. Il avait rétorqué qu'il y en avait tout autant à Marseille, et qu'ils en verraient d'autres. Pourtant tout au long de la route de Bourgogne, il n'avait pas caché sa curiosité pour le mouvement des chevaux, à chaque relais, les discussions entre son père et les postillons, les premières neiges de l'hiver sur les côtés de la route — mais il l'avait déjà deux fois vue tomber en Corse. Villefranche, Mâcon, Tournus, Chalon, et puis, en cette fin d'après-midi grise du 30 décembre, quatrième année du règne de Louis XVI, l'arrivée dans ce pays de petites montagnes pelées, de champs maigres étroitement clos (pour garder quoi? du chiendent?), et la découverte de la première ville de France où il va résider, où il va devenir français : Autun.

La ville est toute en pente, même la grand-place. Elle est frileusement resserrée autour de sa cathédrale, si belle et si bizarre : jamais Napoleone n'a vu tant de statues, des anges tout nus qui le choquent beaucoup, des diables qui tirent la langue. Il y a partout des curés, des religieuses; Autun est un des évêchés les plus prospères de Bourgogne, et le cousin Varese en est tout content, lui qui vient là pour une place de sous-diacre à la cathédrale. D'ailleurs, les premiers Français qui s'occuperont de Napoleone sont des prêtres : les Messieurs du Collège, dépendant directement de l'évêque, Monseigneur de Marbeuf; ils viennent de s'y installer à la place des jésuites, qu'on a chassés de partout dix ans plus tôt. Ils vont garder Giuseppe, qui doit devenir prêtre lui aussi, et dégrossir Napoleone, le temps qu'une place soit libre pour lui, dans l'école militaire de Tiron. Une chance, pour ces deux petits sauvages, que leur père soit dans les bonnes grâces du frère de l'évêque, le général de Marbeuf, gouverneur de la Corse. Le prélat les reçoit en personne dès le lendemain de leur arrivée, les bénit avec bienveillance, leur pose la main sur le front. Ils seront bien accueillis au moins par les professeurs, malgré leur maigre bagage et leur baragouin. Guiseppe et Napoleone admirent une fois de plus l'aisance de leur père dans son beau costume brodé, ses dentelles, sous sa coiffure poudrée; l'épée lui va. On ne l'appelle plus Carlo Maria, ici : c'est le chevalier Charles-Marie de Buonaparte et, pour que son fils puisse être pris en charge sa vie durant comme officier du roi de France, il vient d'obtenir du Conseil judiciaire de la Corse un arrêté proclamant « la famille Buonaparte noble de noblesse prouvée au-delà de deux cents années », en Toscane d'abord, puis à Pise et enfin à Ajaccio.

Dès le surlendemain, ils le voient repartir pour Versailles et Paris, où il va tourmenter les ministres en tâchant de leur arracher d'autres faveurs pour sa famille, son clan, ses amis. Ils le quittent sans trop d'émotion : ils l'ont toujours connu d'assez loin, même à la maison où il leur parlait gentiment, mais vite et en passant, entre deux randonnées en Corse et ses voyages sur le continent. Ils ne s'étonnent pas de le voir happé par le monde qui a toujours été le sien, celui des démarches et des soucis — le monde où l'on parle français. Napoleone continue d'être ébloui par la nouveauté des choses, et ne se sent pas perdu tant qu'il lui reste son frère chéri, son compagnon de toutes les heures depuis sa naissance, ce bon Giuseppe qui couchera dans le même dortoir que lui. Il est vrai qu'on lui dit, dès le 1er janvier, qu'il devra maintenant l'appeler Joseph, et ce n'est pas facile, à cause de l'accent.

Quant à lui, c'est une autre histoire — et c'est justement à partir de son nom que ses misères vont commencer. Napoleone, *quèsaco*? Les camarades s'esclaffent, et les maîtres eux-mêmes ne peuvent se retenir de sourire, d'autant que ce prénom italien, déjà rare en Corse, se prononce *Napolioné*, et qu'il y a comme une parenté entre ces syllabes étranges et le petit bonhomme au torse maigre, aux traits coupés au couteau et au teint jaune, très vif, très pétulant, qui ne sait pas encore contenir ses réactions. Joseph, lui, est un bon garçon doux et mou, qui se fond plus aisément dans la masse moyenne des élèves, d'autant plus qu'il est attentif, docile, et fait des progrès beaucoup plus rapides que son frère en français. Ce dernier se raidit dès les premiers jours, malgré la patience de l'abbé Chardon, un brave répétiteur qui sera presque le précepteur particulier des deux enfants, en tout cas leur seul professeur important, puisqu'il doit, le plus vite possible, les rendre capables de comprendre les leçons des autres. Joseph écoute, répète, lutte contre son accent et donne d'autant moins de peine à l'abbé Chardon qu'il parle couramment l'italien qui est la « langue noble » des Buonaparte, tandis que Napoleone se cramponne à leur langue usuelle, le dialecte corse, qui fait perdre au pauvre abbé à la fois son latin, son français et son italien. Le garçon ne veut même pas comme on le lui demande, franciser un peu son nom en laissant tomber l'e final. Il continuera des années durant à l'écrire *Napoleone*, quand tout le monde autour de lui prononcera « Napoléon ».

Au bout d'un mois, il ne se raidit plus : il se cabre. Plus personne ne les confond, Joseph et lui. Cette querelle de là langue a cristallisé le malaise de leur origine : ils sont des Corses, des colonisés récents, venus d'un pays conquis parmi ces braves Bourguignons si sûrs d'eux-mêmes. On les a donc d'autant plus taquinés, comme tous les « nouveaux », qu'on était tout naturellement porté à les considérer comme des indigènes d'une autre planète. Les brimades glissaient sur Joseph; Napoléon n'en laisse pas passer une, se fâche à tout propos, répond par des invectives que personne ne comprend et qui font d'autant plus se moquer de lui. Il s'identifie à cette Corse vaincue, dont on n'avait jamais tant parlé à Autun; c'est son pays, c'est sa patrie à lui; elle n'a rien de commun avec ces terres froides où il lui semble que le printemps n'arrivera jamais. En février, à Ajaccio, il pouvait déjà pêcher sur les roches. Les premiers mots de français qu'il utilise, c'est pour se défendre, un jour où l'on met en cause devant lui le chef des Corses insurgés, Paoli, réfugié maintenant en Angleterre. Or Paoli, c'est son héros, son dieu vivant. Il explose :

— Si les Français avaient été même quatre contre un, ils n'auraient jamais eu la Corse ! Mais vous êtes venus à dix contre un ! Vous n'êtes que des lâches !

— Mais vous aviez pourtant Paoli, qui passait pour un bon général ?

— Oui, c'en est un, et encore maintenant ! Vous n'en avez pas un comme lui en France. Je voudrais bien lui ressembler !

Le bon abbé Chardon aime assez, lui, ce petit monsieur susceptible, et lui trouve « beaucoup de dispositions ». Mais il signale chez lui une regrettable tendance à la facilité, et une certaine difficulté au travail suivi. Napoléon veut bien apprendre à toute vitesse, mais pas longtemps. Dès qu'il estime savoir la leçon, il interrompt l'abbé par un « Je sais déjà cela », tout sec, qui va devenir son refrain. Enfin, cahin-caha, et grâce à la patience du bon Chardon, il est capable au bout de trois mois « de faire librement la conversation en français, et même de petits thèmes et de petites versions ». C'est heureux : on reçoit des nouvelles de son père, qui écrit de Versailles que Napoléon n'ira pas à Tiron, chez les bénédictins — qui l'eussent formé de façon littéraire et en mettant davantage l'accent sur la religion — mais qu'il faut le conduire de suite chez les minimes, à Brienne, où une place se trouve vacante au collège militaire. Là, la note principale est mise, dans les études, sur les sciences et les mathématiques.

Il se plaignait du climat de la Bourgogne? Le pauvre ne va pas gagner au change, et ira grelotter en Champagne. Son père n'a pas le temps de le chercher; c'est l'abbé d'Auberive, grand vicaire d'Autun, qui, par une prévenance spéciale de l'évêque, emmènera Napoléon à Brienne. Cela ne fera d'ailleurs que cinquante-cinq lieues de poste, un petit voyage en mai qui ne ressemble guère à sa première randonnée en France : rencoigné dans la calèche, le petit homme dévore son chagrin. C'est maintenant qu'il se sent tout d'un coup abandonné du ciel et de la terre : quand il a embrassé Giuseppe, non, pardon, Joseph, le compagnon de ses dix premières années, son confident, son seul véritable ami, même en Corse — et que dire alors de cette France où tout l'écorche? — il a senti se casser quelque chose en lui. Ce jour-là, il a dit adieu à son enfance, et c'est quand même de trop bonne heure, avant d'avoir dix ans. Joseph a fondu en sanglots. Napoléon, lui, avait appris à Autun quelque chose d'aussi important que le français : la maîtrise de soi. En trois mois et vingt jours, il avait compris que les autres se moquaient de lui s'il se laissait aller. On les regarde : il se mure dans une souffrance silencieuse qui n'en est que plus impressionnante, mais ne peut empêcher une larme, une seule, de couler sur sa joue. Le sous-principal du collège, l'abbé Simon, qui n'était pas un sot, se tourne vers Joseph :

— Votre frère n'a versé qu'une larme, mais elle prouve autant que toutes les nôtres.

L'abbé a raison : Joseph rira dès la prochaine récréation, puisqu'il avait pu pleurer. Napoléon s'enferme dans une gravité agressive et fermée, celle d'un déraciné précoce qui se dessèche et manque mourir, comme une plante trop tôt transplantée. Dans cette seule larme, qu'il n'avait pas même essuyée, tenait tout le bonheur de sa jeunesse, cette liberté, ce soleil, ce monde perdu dans lequel il se réfugie en pensée, tout le temps, les premiers mois de Brienne, ce qui fait dire à ses professeurs : « C'est un rêveur. »

# Le bonheur sauvage

## Ajaccio : neuf ans
## (15 août 1769-15 décembre 1778)

> « Je naquis alors que ma patrie périssait. »
>
> (Napoléon : Lettre à Paoli)

On ne l'avait pourtant pas gâté. Ce n'était guère l'habitude en Corse, et comment en aurait-on eu le temps chez les Buonaparte, où tout le monde avait toujours quelque chose à faire? La haute maison carrée de la rue Malerba, à Ajaccio — qu'on appelait aussi la rue des Buonaparte, du nom de ses principaux habitants et dont le nom voulait dire « rue de la mauvaise herbe » —, était une véritable ruche. Les toutes premières images que Napoléon avait reçues de la vie lui auront donné l'incapacité de comprendre comment on peut perdre son temps.

Ses parents n'avaient pas, en tout cas, perdu celui de leur jeunesse, si toutefois ils en avaient eu une. Carlo Maria de Buonaparte et Lætizia Ramolino s'étaient mariés à 19 et 14 ans; à la naissance de Napoléon, ils avaient déjà eu trois autres enfants, dont deux morts presque aussitôt après leur naissance, et Giuseppe, leur aîné. Pourtant, ils n'avaient encore que 24 et 19 ans, ces fondateurs d'une famille nombreuse, et ils vont continuer sans désemparer.

Ils auront au total douze enfants, dont huit vivront. Lætizia sera enceinte pendant cent huit mois de leur vie conjugale. Ce ne sont pas tellement eux qui auront nourri les premières images et les premières sensations de Napoléon, que tout le monde appelait Nabulio. Ils étaient un peu distants et retranchés, le père dans ses relations et ses procès, la mère dans ses grossesses et la marche de la maison. D'autres femmes, d'abord, avaient peuplé son petit univers : la bonne nourrice, Camilla Ilari, qui lui donnera maintes fessées, mais l'aimera tant qu'il la chérira toujours; la tante Gertrude Paravicini et ses histoires inépuisables; les deux grand-mères, les *minana*, la vieille Ramolino, qui s'appelait madame Fesch depuis qu'elle s'était remariée avec un Suisse, et dont il imitait vilainement la boiterie; madame Buonaparte mère, si pieuse qu'elle avait fait vœu d'assister à une messe chaque matin autant de fois qu'elle aurait de petits-enfants vivants. L'imprudente ! A la fin de sa vie, elle devra passer la matinée entière à la cathédrale : huit messes... Caterina, la seule servante pour tout ce monde-là, mais il était vrai que chacune des femmes mettait la main à la pâte pour nourrir et soigner les hommes, non seulement Charles, mais les enfants Fesch, le cousin Laurent Giubega et là-haut, dans la plus belle chambre d'angle de la *casa* où il trônait comme Dieu le Père, le véritable chef du clan, l'archidiacre Lucien, son grand-oncle, la majesté même.

Sa *mamma*, Nabulio la craignait et l'admirait plus qu'il ne l'aimait, et l'évitait plutôt, parce qu'elle ne lui passait jamais rien. Elle était très propre, sans coquetterie, très belle, de cette beauté droite et glacée qui attirait et repoussait à la fois les notables d'Ajaccio et les officiers français. De cela, Napoléon ne s'était pas aperçu, bien sûr, mais il avait toujours gardé contre elle une vraie rancune de gosse depuis le jour où elle lui avait menti pour pouvoir l'attraper et lui donner une correction :

— Tu es invité à dîner chez le gouverneur. Va t'habiller dans ta chambre...

Il la fuyait depuis des heures, toujours parce qu'il avait été insolent avec la *minana* Fesch et qu'il savait bien qu'elle voulait le battre. Seulement, dès ses trois ans, il avait appris qu'elle ne courait jamais : par dignité. Il suffisait de se tenir à distance. Là, elle avait attendu qu'il soit déshabillé, était montée doucement comme un chat et l'avait pris au piège. Quelle raclée, mais surtout quelle colère de voir que sa mère savait mentir comme n'importe qui ! Quarante ans plus tard, à l'île d'Elbe, il lui fera encore une scène à ce propos.

Son père, lui, ne le punissait pas et le laissait aux femmes, puis aux maîtres. C'était un beau jeune dieu gentil, le plus souvent absent : l'éternel voyageur, dont on disait aux enfants qu'il était à Pise ou à Gênes, à Corte ou à Rome, à Marseille, à Versailles. Nabulio était persuadé que Carlo Maria passait ses voyages en compagnie des grands de la terre, et affirmera, à Brienne, qu'il était reçu tout le temps par le roi de France, le pape, l'empereur d'Allemagne. Comment en aurait-il douté, puisque, dès que ce père revenait chez lui, c'était pour tenir salon ouvert à de beaux messieurs à jabot, à épée, à perruque comme lui, qui s'entretenaïent interminablement de grandes choses mystérieuses : le procès de la succession Odone pour le moulin à huile, la Consulte de Corse, et qui baissaient un peu la voix quand ils prononçaient, souvent, le nom tant vénéré du grand exilé, Paoli. Tout cela en italien; il n'y comprenait goutte, et savait seulement qu'un jour ce serait son tour d'entrer dans ce monde des hommes, si agréable à Ajaccio, où ils passaient le temps à discuter au salon ou sur les places, bien à l'ombre des châtaigniers, pendant que les femmes restaient à la maison à coudre, à préparer les galettes et la savoureuse bouillie sèche, le *broccio*, si bonne qu'il ne se lassait pas d'en manger presque chaque soir avec des fromages de chèvre frais. Il était déjà un petit monsieur dans ce monde des femmes où l'on ne parlait que le dialecte, et où on l'écoutait avec indulgence raconter ses querelles, voire ses batailles avec les autres polissons du coin, dans la rue Malerba dépavée, qui sentait l'orange pourrie, et les petits jardins secrets, sous les terrasses des ruelles étroites, bien taillées au cordeau deux siècles plus tôt, quand on avait bâti Ajaccio la blanche, Ajaccio la neuve, à une demi-lieue du vieil Aiazzo tout infesté de malaria.

D'aller à l'école dès cinq ans ne lui avait pas déplu, parce que les sœurs béguines, qui venaient de prendre la place des jésuites dans l'unique école de la ville, ne l'avaient guère tourmenté pour lui inculquer ses rudiments :

un peu d'alphabet pour épeler l'italien, et des chiffres pour compter tout doucement. C'était surtout cela qu'il aimait : les tout petits problèmes de soustraction de figues ou de bonbons qu'on lui laissait quand il avait vu juste. Et puis, c'était une école mixte dont il était presque le petit seigneur : les Buonaparte, pensez donc ! Les fillettes les regardaient avec un sourire niais, Giuseppe et lui. Il en avait choisi une, Giacominetta, dont les béguines disaient en riant qu'il était tombé amoureux; elles n'y comprenaient rien : il lui fallait, comme à son père, une petite bonne femme à sa dévotion. Il se promenait fièrement avec elle en sortant te la classe, ce gamin à la fois grêle et fort, dâlé par le vent de mer salé, aux cheveux châhains-roux impossibles à peigner qui lui retombaient sur les yeux, comme ses bas retombaient sur ses souliers. Jalouses, les autres petites filles les suivaient en scandant :

> *Napollione di mezza calzetta*
> *Fa l'amore a Giacominetta.*

On leur faisait bien de l'honneur : il était heureux. L'école n'avait guère d'horaire fixe, et chaque semaine était coupée par les fêtes des apôtres, de la Vierge — il était né le jour de l'Assomption — des saints de Corse et d'Italie, auxquels venaient maintenant se mêler ces intrus, les saints de France. Alors, il courait s'asseoir des heures entières sur un vieux canon génois tout verdi, au pied de la citadelle d'Ajaccio, immense et dorée au-dessus de lui comme une sorte d'acropole pour la guerre. Il aimait surtout le soir, parce qu'Ajaccio était toute baignée dans le soleil couchant et qu'il voyait à contre-jour les pêcheurs qui rentraient avec le soleil pris dans leurs voiles, les gondoles de toutes tailles, longues et fines, qui amenaient les riches de Bonifacio ou de Bastia en se glissant le long des côtes, et, tout là-bas, cette poignée d'îles qu'on appelait Sanguinaires parce qu'elles devenaient rouges un peu avant la nuit.

Quand il voulait se dégourdir les jambes, il appelait Ignazio, son frère de lait, le fils de la bonne Camilla. Ils sautaient le mur d'enceinte de la ville et couraient au long de la grève, à la recherche des crabes et des coquillages. Ils allaient tourmenter Ilari, le mari de Camilla, qui était patron pêcheur, pour qu'il les laisse monter sur la barcasse et tirer les filets avec les grands. Ou bien, les jours de foire, ils se mêlaient aux bergers, aux métayers qui travaillaient sur les terres de sa famille; il y avait surtout un meunier de son père qui l'aimait bien et lui prêtait son cheval en douce. Il montait à cru, sans selle, se cramponnait comme il pouvait et galopait à travers champs, dans l'odeur violente des cistes, des lentisques et des arbousiers. C'est alors que le parfum de sa patrie entrait en lui à tout jamais. « Avant que vous voyiez la Corse, dira-t-il à Sainte-Hélène, vous sentez son parfum quand le bateau s'en approche. »

A mesure que ses muscles devenaient durs, ses poings solides, son regard aigu, dans cette vie simple, quelques idées, toutes simples elles aussi, commençaient à se graver en lui et formaient la trame de son intelligence. Sa conscience du monde et de la vie est partie de quelques vérités premières qui ont fait sa prime enfance et sur lesquelles, bien sûr, à mesure qu'il grandissait, des nuances de plus en plus subtiles allaient s'inscrire.

L'orgueil, d'abord. Il est de la meilleure famille non seulement d'Ajaccio, mais de Corse; il n'en doute pas un seul instant. Il est apparenté aux autres « nobles » de la ville, et depuis deux siècles ; mais il vaut mieux que les Forcioli, les Odone (avec qui son père est en procès pour une succession), les seigneurs de Bozzi, et ces vilains Pozzo di Borgo qui avaient insulté sa mère : en ce temps-là, on vidait tout par les fenêtres à Ajaccio, où la notion même d'égout était inconnue, et une dame Pozzo avait déversé le pot de chambre dans la rue, juste au moment où passait Madame Lætizia. Sa robe en avait été gâtée; on avait fait un procès aux Pozzo, qui ne voulaient pas en rembourser le prix, et depuis on ne se parlait plus. Qu'est-ce que ça pouvait faire, un cousin fâché ? Au jour de son mariage avec Carlo Maria, Lætizia Ramolino avait été accompagnée à la cathédrale par « cinquante de ses cousins, tous hommes beaux et forts »... Il y avait déjà deux cents ans que les Buonaparte avaient le droit d'être appelés « Capitaine », parce qu'un de leurs aïeux, Augustin, avait construit de ses deniers une tour aux Salines, pour défendre la côte contre les pirates d'Alger. L'archidiacre Lucien, le véritable chef de la famille, était appelé « Illustrissime Révérend Dom Lucien » par les autres prêtres. Au-dessus de la porte principale de la maison, rue Malerba, Nabulio pouvait voir, chaque fois qu'il rentrait, l'écusson de pierre avec les barres et les étoiles, les mêmes que pour les Buonaparte de Florence, où les deux initiales B. P. étaient surmontées d'une couronne de comte.

Et, s'ils menaient une vie sobre et frugale, ses parents, à ses yeux, étaient non seulement nobles, mais riches. La dot donnée à Lætizia par les parents Ramolino avait ébloui les voisins : trois parcelles du clos de Torravecchia, dans la plaine grasse du Campo dell'Oro, une maisonnette avec un four dans le faubourg de Santa Catalina, un vignoble au Vitullo... Tout cela équivalait approximativement à vingt-cinq mille francs 1969. Et, alors, cela paraissait énorme. De son côté, l'époux avait des vignes, des prairies, un maquis avec des terres arables, et la maison — à quatre étages ! — de la rue Malerba.

Ce père riche et noble, Nabulio l'avait aussi d'abord vu couvert de gloire, puisqu'il avait été le lieutenant de Paoli, son second, d'après les bonnes femmes qui ne faisaient pas le détail dans les récits de la guerre d'indépendance. Tout l'éclat déjà légendaire du héros, du *Babbo* exilé, parce qu'il n'avait pas voulu pactiser avec les Français, rejaillissait sur Charles-Marie dans l'esprit de son fils. Il est exact qu'il avait travaillé avec Paoli, à titre de « secrétaire d'Etat », un mélange de secrétaire et de ministre, donc à titre civil bien plus que militaire, quand le Babbo gouvernait la Corse, et qu'il s'était battu bravement quelques mois à ses côtés devant la ruée française, en 1769, justement, l'année où Napoléon devait naître le 15 août. Inlassablement, à la veillée, on lui rappelait que c'était Paoli qui avait poussé au mariage de ses parents, pour rallier à la cause de l'indépendance les Buonaparte et les Ramolino, qui étaient jusque-là partisans des Génois. Et que de fois lui avait-on ressassé les interminables récits de la résistance, quarante ans ! contre les Génois d'abord, puis les Français, auxquels on avait vendu les Corses « comme un troupeau de moutons ». La longue suite des victoires au coin des vallons, les *pievi* soulevées, reconquises, libérées, conquises à nouveau, tout cela pour aboutir à la catastrophe de Ponte-Nuovo, le 8 mai, les douze mille hommes de l'armée corse, armés de mauvais fusils, encerclés, piégés par les habiles manœuvres du comte de Vaux et du général de Marbeuf, acculés à la rivière Golo par près de cinquante mille hommes, des Français, mais aussi des mercenaires prussiens qui ne faisaient pas de prisonniers et tenaient le seul passage libre, ce pont neuf (ponte nuovo) où les Corses allaient se ruer en désordre comme à l'abattoir, sous le terrible feu de la nouvelle artillerie française qui les écrasait avec les meilleurs canons du monde. Le 9 mai, il n'y avait plus d'armée corse. Trois mois plus tard, le mois où Nabulio était né, le pont était encore couvert de sang coagulé. Paoli s'était embarqué le 13 juin pour l'Angleterre, pendant que Charles et Lætizia erraient encore dans les maquis avec une poignée de partisans, sur les hauteurs du Monte Rotondo.

Napoléon avait donc, tout petit, appris à admirer aussi sa mère, quand on lui racontait qu'à dix-neuf ans, enceinte de lui, elle avait déambulé à mulet ou à cheval dans des sentiers impossibles, au risque de se noyer au gué du Liamone. C'était seulement parce que Paoli le leur avait conseillé que ses parents, alors, mais alors seulement, s'étaient ralliés aux Français, puisqu'il n'y avait plus de gouvernement corse, plus de forces, plus d'argent, plus rien. (Et qu'il fallait bien vivre... ajoutaient les gens derrière leur dos. Mais Napoléon était bien loin de comprendre alors ce qu'il y avait eu de choquant dans la rapidité et le manque de retenue du ralliement paternel.)

Tout lui paraissait encore limpide : Paoli, son père, sa mère, trois héros indissolublement liés ; la Corse, le plus grand et le plus beau pays du monde ; les Français, tous des monstres — sauf ceux qui étaient reçus via Malerba, et qui étaient gentils, eux, puisque son père le disait. Et pour achever de haïr la France, il n'avait pas longtemps eu besoin des récits au coin du feu. L'insurrection du Niolo avait été noyée dans le sang en mars 1774, au nom du vieux roi Louis XV, qui allait mourir deux mois plus tard.


Le Niolo... Napoléon avait ouvert les yeux sur l'horreur, à sa porte. Premières images qui marquent à tout jamais la mémoire : les fusillés, les pendus, les roués pour l'exemple. Un autre homme qui devait devenir célèbre, le jeune Mirabeau, et avait participé à des opérations semblables en Corse, dans les rangs français, dira : « Ma première jeunesse a été souillée par ma participation à la conquête de la Corse ». Le général responsable de la répression, marquis de Sionville, se vantait de son coup d'œil inimitable pour évaluer le nombre de pendus que chaque branche d'arbre pouvait porter : « Celle-ci, deux seulement ; mais là, quatre au moins : c'est du bon chêne. ». A la Rocca, il avait ordonné de briser à coups de barre de fer les bras d'une femme qui avait nourri les insurgés. A Ajaccio même, tout près de la *casa* Buonaparte, il avait fait tuer sur place à coups de crosse un enfant de douze ans qui avait eu peur des « habits bleus ». Trente-deux villages rasés ou incendiés. Déjà, à Oletta, cinq patriotes avaient été condamnés, avant l'insurrection, « à faire amende honorable devant la principale porte de l'église puis, conduits à la place principale, et sur un échaffaut (*sic*) dressé à cet effet, à avoir les bras, jambes, cuisses et reins rompus vifs, ensuite à être mis sur une roue, la face tournée vers le ciel, pour y demeurer tant et si longtemps qu'il plaira à Dieu leur conserver la vie ». Quand l'insurrection du Niolo s'était déclenchée, le comte de Marbeuf avait proclamé que tout rebelle était un bandit et devait être traité comme tel : on rouait sans jugement tous ceux qu'on prenait les armes à la main. Six Corses avaient ainsi été suppliciés aux portes d'Ajaccio. On avait empêché Napoléon d'y aller voir, et il n'avait rien entendu, sinon les roulements de tambour, car, contrairement à la plupart des roués, ils n'avaient pas crié, sinon un mot, un seul, au moment où on les liait à la roue : « *Pazienza* ! » Et un officier du Royal-Picardie qui se trouvait là avait écrit aux siens :

33

« Par mon état, j'ai été forcé d'assister à quantité d'exécutions sur des gens très braves. Je dois avouer que je ne leur ai jamais trouvé la tranquillité et la fermeté que ces six malheureux conservaient avant et pendant le supplice, sans se plaindre, sans avouer ni leurs complices ni leurs chefs, et sans vouloir jamais faire amende honorable au Roi et à la justice, disant qu'ils n'avaient commis d'autre crime que celui de défendre leur liberté. »

Napoléon allait avoir cinq ans. Un certain acier, en lui, avait été trempé par ces épisodes-là : l'endurcissement précoce, le mépris de la douleur physique, l'entraînement à cacher sa haine. Au-delà de l'orgueil, une indicible fierté de vaincu qui reste dans son droit. Au-delà de l'impassibilité, une tristesse; celle de savoir trop tôt que les hommes peuvent faire ça. Partant de là, déjà, un certain pessimisme.

Six ans; sept ans; il avait quitté les béguines, et ne se souvenait déjà plus de Giacominetta. Il avait appris à mieux tirer ses bas; ses cheveux viraient au brun plus foncé. Il faisait semblant d'apprendre à lire chez l'abbé Recco, qui n'était nullement content de lui. En quatre ans, il n'apportera chez lui qu'une seule fois les grandes images pieuses coloriées qui servaient de bons-points. Et ses idées, bien vite, un peu trop vite encore pour un enfant si jeune, avaient perdu de leur simplicité. Il était entré dans un certain silence, tout d'observation par-devers lui, et d'intuition, à mesure qu'il avait saisi, sinon compris, le rôle privilégié que son père jouait auprès de ces vainqueurs tant détestés, et si bien reçus à la maison. « L'épisode Paoli » n'avait été qu'un passage, non dénué de courage et de passion, mais fugitif, dans la tradition des Buonaparte qui, depuis plus de cent ans, se préparaient à collaborer avec les Français en collaborant avec les Génois. Les vrais Corses, les irréductibles, c'étaient depuis toujours ceux de l'intérieur, accrochés de part et d'autre de cette grande montagne qui coupe l'île en deux comme une épine dorsale. Mais la bourgeoisie des ports, Calvi, Bastia, Ajaccio, essaimée là par les banquiers et les fonctionnaires italiens d'abord, puis français, parce que le roi avait depuis trente ans déjà des accords de transit et d'exploitation sur les côtes, se sentait plus proche des gens du continent, par les mœurs, la culture, la langue, que des bergers des *pievi* sauvages. Et, plus qu'eux tous, ce jeune et ambitieux Carlo Maria qui, par chance, avait appris à parler le français chez les jésuites. Dès 1771, le père de Napoléon était au service du roi de France, assesseur à la juridiction d'Ajaccio. Il devenait membre de la Commission des douze nobles qui assistaient le gouverneur — et le demeurait malgré les massacres du Niolo. C'est à ce titre qu'en effet il avait accès auprès des ministres, sinon du roi, à Versailles, et en usait abondamment. A force d'habileté, d'entregent, de pirouettes et d'exercices d'équilibriste, il était parvenu à garder auprès du petit peuple sa réputation de « paoliste » tout en se dévouant à la cause française, et même en se faisant particulièrement bien voir du sanglant Marbeuf dont il avait astucieusement épousé la querelle qui l'avait opposé trois ans durant à son concurrent français pour le gouvernement de la Corse, le comte de Narbonne-Pelet, tout aussi sanglant, il est vrai. Or la majorité des notables ajacciens avaient pris parti pour Narbonne, finalement destitué. Charles Buonaparte avait su flairer le bon vent, sans trop se fâcher avec ses pairs. Et la récolte avait été bonne : concession d'une pépinière de mûriers, écus sonnants et trébuchants (6 000 francs d'alors, soit près de 20 000 francs 1969) pour la mettre en exploitation, exemptions d'impôts, bourses pour ses enfants et ses neveux dans les collèges du roi, en France. Et, par-dessus le marché, l'obtention par cet homme, endetté à cause de sa prodigalité mais riche quand même — à cette époque-là, d'ailleurs, tous les riches avaient des dettes —, d'un *certificat d'indigence* pour le remboursement de ses voyages en France ! Il avait bien travaillé, Carlo Maria.

Tout cela avait abouti, le 24 septembre 1778, au baptême en grande pompe de leur neuvième enfant, appelé Louis en hommage à Louis XVI, à la cathédrale d'Ajaccio. Celui qui tenait le petit bébé sur les fonts baptismaux, c'était précisément le général de Marbeuf, le « pacificateur », que neuf Corses sur dix appelaient encore le bourreau de leur pays. Au premier rang, un petit bonhomme très digne de neuf ans, qu'on appelait de moins en moins Nabulio, mais encore Napoleone. Il savait déjà que, trois mois plus tard, il allait partir avec son aîné « pour être l'hôte du Roi », affirmait-il gravement, et ne se doutait pas qu'il atteignait le terme de ces années de bonheur sauvage. Il avait résolu toutes les contradictions qui avaient progressivement recouvert la simplicité de ses premiers élans, en continuant à détester les Français tout en acceptant déjà, lui aussi, de profiter d'eux. Il n'y voyait pas de mal, puisqu'il imitait son père, en persistant à l'admirer — par honneur et par tradition. Les premières vraies bagarres de sa vie, sérieuses, celles qui font mal, parce que les bandes de gosses qui s'affrontaient parfois à trente dans chaque camp y allaient maintenant à coups de bâton et à jets de pierre, s'étaient multipliées les derniers temps entre les *Ajaccini* et les *Borghigiani*. Les premiers, les Ajacciens depuis des générations, tous originaires de Gênes, fils de nobles, de bourgeois, de boutiquiers, avaient le plus souvent le dessous en face des robustes *Borghigiani*, les fils de marins, de laboureurs et d'artisans descendus des montagnes pour se fixer, en marge du grand port, dans le faubourg du borgo. Napoleone s'était fait rosser comme les autres, et les premières batailles de sa vie avaient été perdues — contre des Corses ! Il avait entendu voler des injures qui ne lui avaient pas plu, sur son père et les siens. Il finissait par se sentir Ajaccien plus que Corse, suspendu entre trois mondes : la France, étrangère, fascinante, encore haïe, mais indispensable; la Corse, au climat et aux décors passionnément aimés, mais dont les gros lourdauds des *pievi* commençaient à l'importuner; Ajaccio, le lieu de rencontre, le nœud entre la mer et les montagnes, l'endroit d'élection des nuances, de la diplomatie, déjà des mensonges et des accommode-ments : c'était là qu'il avait sa maison, sa maman, sa *mamuccia*, ses *minanas*, ses petits frères et sœurs qu'il regardait de haut avec tendresse et mépris, tout ce clan qui les avait accompagnés jusqu'aux portes de la ville quand Giuseppe et lui étaient partis avec son père, son oncle et son cousin, et qui avait multiplié les signes d'adieux — sans pleurer; on ne pleurait pas, chez les Buonaparte.

Lui, encore moins que les autres. Il croyait vraiment partir conquérir la France, comme il pensait que son père l'avait fait. Et il avait com-pris que cette conquête-là ne se faisait pas à coups d'épée. Si quelque chose s'était noué en lui, la gorge, le cœur, quelque part entre Ajaccio et Bastia, personne n'en avait rien su. Déjà, les nouveautés de la route l'occupaient. Il ne savait pas que plus personne, jamais, ne l'appel-lerait comme on l'avait fait à la casa, pendant cinq à huit années, les seules vraiment heureuses de sa vie : de Nabulione, ou Nabulio, ceux qui l'aimaient avaient fait *Ribulione*, ce qui voulait dire « le perturbateur » — quand on traduit poliment.

# La conquête de soi

*Brienne : cinq ans et cinq mois.*
*(15 mai 1779-17 octobre 1784)*

« Ma nature ne pouvait pas supporter l'idée de ne pas être tout d'abord le premier de ma classe. »

(Confidence de Napoléon à Montholon, à Sainte-Héléne)

Au moment où il y arrive, Brienne n'est encore qu'un médiocre petit village de la Champagne pouilleuse, quatre cents habitants, on ne peut pas même dire que c'est un bourg. La ville la plus proche, Bar-sur-Aube, est à six lieues. Des champs râpés pleins de renards et de ronces, quelques boqueteaux où nichent les choucas, des chemins poussiéreux ou boueux pour y accéder, et enfin, en contraste de la bonne cité d'Autun ronde et propre comme une chanoinesse, ce ramassis de maisons basses aux toits de chaume... Il n'y a que l'école à être couverte en tuiles et, bien sûr, là-haut, écrasant de sa masse imposante la petite poignée des chaumières qui se serrent autour d'elle, la montagnette où les très hauts et puissants seigneurs de Brienne, vassaux des comtes de Champagne depuis bientôt mille ans, tenaient autrefois garnison sur le roc et mènent maintenant un train de vie fastueux dans le vaste château tout neuf qu'ils viennent de faire construire.

Napoléon ne fait qu'entrevoir ce décor au

passage, et cela ne contribue pas à lui remonter le moral. L'abbé d'Auberive le conduit tout de suite au collège, installé dans les bâtiments d'un ancien couvent, depuis deux ans à peine. L'odeur de cire et d'encens qui flotte encore dans les couloirs lui donne l'impression d'entrer au séminaire. Une grille modeste conduit au bâtiment principal par une petite allée bordée de tilleuls maigrichons. Une haute porte cochère à deux battants de bois sculptés donne accès à un vestibule dallé, où les nouveaux se font tout petits sur les bancs d'attente, sous le regard de messieurs sévères accrochés aux murs : une alternance de prélats et de généraux. Après le passage au parloir lambrissé, astiqué, pimpant, où le « très révérend supérieur », le père Leleu, lui tapote la joue avec une bienveillance indifférente, c'est le dédale des longs corridors et des vastes salles d'études voûtées. Le collège est tout en longueur, symbole parfait de ces années et ces années de cafard, toutes pareilles les unes aux autres, que le garçon qui entre en pension imagine devant lui à perte de vue. Tous les élèves qu'il croise se ressemblent : ils portent un uniforme de drap bleu à parements, revers et collets rouges, avec une culotte noire et des bas blancs. C'est déjà l'armée : cent dix petits officiers en puissance, sous le commandement débonnaire de douze pères minimes en soutane, assistés de quelques maîtres laïques, eux aussi tout de noir vêtus. On y mange bien, mais c'est la chose dont Napoléon a le moins cure : à dîner, c'est-à-dire vers deux heures de l'après-midi, de la soupe, du bouilli, une entrée, un dessert; du pain et des fruits pour goûter; du rôti, une entrée et de la salade, puis un dessert, à souper, avant la longue étude du soir et le coucher. On boit du vin trempé de beaucoup d'eau, et on appelle ce breuvage-là de « l'abondance ». Il faut se rappeler qu'à cette époque il était rare, sauf chez les riches, de manger de la viande plus de deux fois par semaine.

Au soir, sensation pénible pour l'habitant de l'île de liberté : on l'enferme au verrou, comme tous ses camarades, dans une logette de six pieds carrés, garnie d'un lit de sangle, d'une cuvette et d'un pot à eau; ce sont les anciennes cellules des moines, et elle ouvrent toutes sur le même couloir. Pour lui, c'est comme une prison. En fait, c'en est bien une, malgré son confort relatif : pas de sorties, pas de congés, pas de vacances, sauf, seulement en septembre et octobre, les deux mois où l'on ne fait classe que le matin, de grandes promenades à pied, en groupes surveillés, qu'on appelait les « spaciments », comme les promenades des chartreux. Interdiction de recevoir du dehors des livres, des vêtements ou de l'argent. Le collège pourvoit à tous les besoins des élèves aux frais du roi, et leur octroie même de l'argent de poche : un franc par mois avant douze ans, deux francs après. Leurs parents sont déchargés de tout souci matériel les concernant, à condition toutefois de leur avoir fourni à leur arrivée un trousseau neuf comprenant l'uniforme, mais aussi trois paires de drap, douze serviettes, douze mouchoirs, douze cols blancs, douze chemises, six bonnets de coton, un sac à poudre et un ruban pour les cheveux (qu'ils coifferont en catogan), un couvert et une timbale en argent, marqués à leurs armes.

Dix heures d'études par jour, précédées de la messe. Les minimes, qu'on appelle aussi « les Bonshommes », se chargent d'enseigner « les humanités » : pas de grec, pas trop de latin, un peu d'allemand (auquel Napoléon ne mordra jamais), de la langue française, de l'histoire profane et sacrée, de la littérature, mais qui, bien sûr, ne faisait aucune mention des grands écrivains du siècle — les élèves se passaient clandestinement Voltaire, Diderot et Rousseau. Quant aux maîtres laïcs, parmi lesquels il y avait des anciens officiers ou sous-officiers, on leur confiait le domaine des sciences, en train de s'élargir considérablement dans les collèges sous la pression du mouvement encyclopédique. A eux donc l'enseignement des mathématiques, de la géographie, de l'astronomie, de la physique et du dessin, mais tout cela strictement orienté vers l'objectif de l'école : l'exercice de l'art militaire. Il fallait que sortent de Brienne des dizaines de petits messieurs capables de conduire à la mort, sous la mitraille, et de faire manœuvrer intelligemment des troupeaux d'hommes incultes, ne sachant pas même l'alphabet. « L'esprit nouveau » qui commençait à souffler, même dans les écoles du roi, leur faisait aussi donner des cours de maintien, d'escrime, de danse et d'étude des fortifications. En principe, l'égalité devait régner entre les élèves, et on les traitait de la même façon, qu'ils fussent pauvres ou riches (on sait que, de toute façon, pour entrer là, ils devaient justifier d'une ancienne noblesse). En ce qui concerne les maîtres, cette consigne est généralement suivie. Napoléon sera pris en charge avec dévouement par ses professeurs, notamment le malheureux père Dupuis, qui doit continuer à lui apprendre le français et manque avoir une jaunisse à force de tenter vainement de lui inculquer une orthographe passable et surtout une écriture lisible. Il se souviendra toute sa vie avec respect du père Patrault, qui, quoique religieux, lui enseigne la géométrie et lui donne les premiers compliments de sa vie d'écolier ; de monsieur Courtalon, qui, avec patience, et en dépit de son peu de dispositions pour le dessin, lui apprend à tracer le plan d'une fortification et, par là, développe son intérêt pour tout ce qui touche à la balistique et aux techniques du siège dans la vie militaire ; du maître de danse, qui utilise sa légèreté, sa vivacité naturelle pour le rendre presque gracieux et capable, en trois ans à peine, d'être l'un des dix-sept élus de toute l'école pour une figure de contredanse, lors des exercices publics. Il se souviendra aussi avec amusement, quand les événements de la Révolution surviendront, d'un de ses « maîtres de quartier », on dirait aujourd'hui un surveillant général, mais ils étaient aussi répétiteurs et ne dédaignaient pas d'enseigner ce qu'ils pouvaient quand ils pouvaient : un Franc-Comtois de belle taille « et qui avait quelque chose de rouge dans la figure », un fils de paysans nommé Pichegru, dont toute l'ambition se bornait alors à entrer dans les minimes et à faire carrière ecclésiastique... Il sera l'un des plus brillants généraux de la Convention, avant de devenir un traître et un conspirateur. Le descendant des Buonaparte de Florence le regardait un peu comme un domestique supérieur.

Tous les maîtres n'étaient pas des mères poules. Certains avaient pris en grippe dès son arrivée ce petit bout d'homme au teint jaune aux manières cassantes, qui ne répondait que par monosyllabes (par peur de mal parler plutôt que par timidité) et s'était raidi, tout de suite, dans une sorte de mépris apparent qui traduisait cependant, aux yeux avertis, un violent complexe d'infériorité. Pourtant, dès qu'on savait lui parler, il montrait le bon côté corse par une tranquillité, une douceur, une application dans le travail qui lui méritaient de l'affection. Mais, quand on le prenait à rebours, rien n'allait plus. Un maître de quartier, une brute, « sans consulter les nuances physiques et morales de l'enfant », comme Napoléon dira lui-même en racontant l'épisode, le condamne, pour insolence, à porter l'habit de bure (celui des domestiques, justement, de ceux qu'on appelait les frères convers), et à se mettre à genoux pendant tout un repas devant la porte du grand réfectoire où les professeurs et les élèves dînaient ensemble. Il ne dit rien d'abord, revêt l'habit, arrive et s'agenouille — mais quand les convives surviennent, tout craque : il est pris d'un vomissement incoercible, suivi d'une attaque de nerfs presque épileptique. Le père Patrault accourt et se fâche contre le benêt « qui risque de lui gâcher son premier mathématicien ». Le supérieur lui-même s'inquiète et lève la punition. Napoléon gardera toute sa vie l'habitude de ces attaques de nerfs, avec contractions de l'estomac, quand il éprouvera des contrariétés imprévues — et elles lui détraqueront prématurément la santé.

Du côté des camarades, c'était bien pis. La première année de Brienne, celle qu'il passe en septième, est une année de solitude morale à vous démolir un enfant plus solide. Un désert à cent dix visages moqueurs. Non parce qu'il est pauvre : il y avait bien d'autres boursiers du roi qui n'avaient pas un liard de plus que lui. Mais parce qu'il est corse, et que, comme à Autun, on le regarde en étranger — d'un pays récemment vaincu et conquis, et encore tout peuplé de « bandits ». Et c'est un cercle vicieux : parce qu'il pressent cette réaction, il n'en affiche que davantage de vanité, d'agressivité, ce qui provoque encore bien plus l'hostilité et les moqueries des autres. Non mais, qu'est-ce qu'il se croit, cet Italien? (Et nous avons vu qu'il se croit en effet, en toute bonne foi, héritier d'une des toutes premières familles d'Europe, et ne le cache pas.) En débarquant à Brienne, il s'attendait vaguement à voir tout le monde se mettre à ses pieds. Il était effectivement l'un des premiers à Ajaccio — et se retrouve l'un des derniers à Brienne, parmi cet étincellement des grands noms de France portés par des fils de famille pleins d'eux-mêmes et qui éclatent de rire quand il déclare s'appeler *Napolioné di Buonaparté*. Tout de suite, et d'autant plus qu'il nasille et ne sait pas encore poser sa voix, ils le baptisent « La paille au nez », et ce surnom le poursuivra longtemps.

Alors, pour tenir le coup, il se replie sur lui-même, et choisit d'endosser son personnage. A Autun, le caractère accommodant de Joseph lui eût sans doute évité cette solution, et puis il aurait eu un confident, un soutien, un autre lui-même. Ici, il est pis que seul : il est montré du doigt; il ne peut pas ouvrir la bouche ni faire un geste sans se faire remarquer. Eh bien, il cherchera sa joie quotidienne, amère, dans la délectation d'être Corse, méconnu, moqué. Elles sont loin, les bagarres et les querelles entre les Ajacciens et les gens des faubourgs ! C'est toute la Corse, ronde comme un trésor perdu, qu'il fait sienne et défend, à temps et à contretemps, par paroles et coups de poing, en gesticulant comiquement, en lançant des éclairs par ses grands yeux gris-bleu, si expressifs. Les vraies rixes, d'ailleurs, sont plutôt rares : entre gentilshommes, on ne se collette pas comme des portefaix, et il est quand même trop tôt pour tirer l'épée. Il se retranche dans une tour d'ivoire qui lui sert de royaume. « Sombre et même farouche, racontera un témoin, renfermé presque toujours en lui-même, on eût dit qu'étant sorti tout récemment d'une forêt et s'étant soustrait jusqu'alors aux regards de ses semblables, il éprouvait pour la première fois un sentiment de surprise et de méfiance. » Il accentue d'autant plus cette méfiance qu'il a été, dès son entrée, affreusement choqué par les mœurs et le langage des pensionnaires de Brienne. Comme tous les nouveaux, selon la tradition stupide qui se perpétuera jusqu'à nos jours, il avait dû subir des brimades, mais la fierté exaspérée de Napoléon les supporte très mal. A l'un des seuls élèves de son âge avec lequel il s'entend un peu, il crie dans un accès de colère vengeresse :

— Je ferai tout le mal que je pourrai à tes Français !...


L'hiver de 1782 est si froid qu'il trouve un beau matin l'eau de son pot à eau gelée, et qu'il alerte ses voisins, croyant à Dieu sait quel cataclysme. Mais on se moque déjà beaucoup moins de lui. Il commence à se faire respecter par la seule voie possible pour quelqu'un dans cette situation-là : il travaille. Il a pris le goût de la lecture. Il s'exprime avec d'autant plus de recherche en français qu'il a dû acquérir cette langue — non sans la persistance d'un fort accent méditerranéen qu'il ne perdra jamais tout à fait. Il s'est enfin lié — sans intimité, en bon camarade, c'est tout — avec le petit Gudin, le petit Nansouty, qui deviendront plus tard des chefs de la Grande Armée, et il est devenu l'ami du jeune Fauvelet de Bourrienne un gamin un peu veule, un peu roublard, qui tentera plus tard de profiter de cette camaraderie de jeunesse pour trafiquer des affaires louches sous l'Empire. Avec eux trois et quelques autres, il prend l'initiative de faire servir à leur vocation l'épaisse couche de neige qui ensevelit cette année-là la cour de récréation : munis de pelles et de pioches, ils entraînent les autres à faire des tranchées là-dedans, puis à bâtir tout un système d'ouvrages à cornes, de parapets et de fortins.

— Et maintenant, nous allons nous diviser

en deux camps : les assiégés, les assiégeants !

Il s'ensuit quinze jours de petite guerre à coups de boules de neige pendant les temps libres, qui finira même avant le dégel parce que quelques malins prennent l'habitude de fourrer leurs boules avec des graviers, voire des pierres. Les blessés, tout glorieux, dont Bourrienne, aboutissent à l'infirmerie. Cet épisode marque le tournant de la vie de Napoléon à Brienne, après lequel, même si on continue à le traiter un peu en mouton noir, on ne le provoque plus. Il a aussi éprouvé, à quatorze ans à peine, que, malgré tous ses handicaps culturels, il peut avoir sur les autres une autorité naturelle, inexplicable, qui procède d'un certain magnétisme du geste et de la voix. Il a moins d'attaques de nerfs; ses gestes sont moins saccadés; il a passé la première crise de la puberté qui, disait-il à Sainte-Hélène, « m'avait fait tomber dans une mélancolie dont je ne croyais pas pouvoir sortir ». Par la lutte solitaire, par l'étude, il a conquis une sorte d'équilibre. Il n'est plus clos en lui-même : assez brillant en arithmétique et géométrie, il se passionne maintenant pour l'histoire et la géographie. Chaque année, après la stagnation douloureuse de 1780, qui aurait pu faire de lui un raté pour la vie, le voit marquer des progrès à l'occasion du grand moment de l'inspection générale de l'école. Tous les collèges militaires du roi étaient visités par une espèce de vieux saint militaire aux bons yeux doux sous un aspect bourru, le chevalier de Kéralio, qui aimait beaucoup ces jeunes gens sans avoir besoin de le leur dire. Le destin de tous les futurs officiers de l'armée française a dépendu de lui pendant plus de dix ans, puisque la responsabilité écrasante lui revenait de déceler aux quatre coins du royaume ceux qui avaient plus de valeur que les autres, afin qu'on pousse leurs études et qu'ils soient promus plus vite. Il ne leur posait pas seulement des questions sur leurs travaux, mais sur eux, leurs parents, leur vie, et, après les examens, il demeurait avec eux pour partager leurs repas et même leurs jeux. « Il avait pris une affection toute particulière pour le jeune Napoléon, qu'il se plaisait à exciter de toutes manières. » (*Mémorial*) [1]. Ainsi s'intéressait-il, ailleurs, à des jeunes gens nobles et pauvres qui s'appelaient Davout, Desaix, Caulaincourt, Grouchy, Bessières, Duroc et d'autres. Les Bonshommes de Brienne s'étonnaient de sa sympathie pour Napoléon. « Après tout, il n'est vraiment fort que sur les mathématiques... » Kéralio répondait fermement :

— Je sais ce que je fais; si je passe ici par-dessus la règle, ce n'est point une faveur de famille : je ne suis point lié avec celle de cet enfant. C'est tout à cause de lui-même. J'aperçois ici une étincelle qu'on ne saurait trop cultiver.

Ainsi, d'année en année, la fierté de Napoléon changeait de visage : elle n'était plus seulement autodéfense et repli sur soi, mais conscience de sa valeur, et cela le détendait quelque peu. Pourtant le fond de lui-même restait inchangé :

---

1. Sens exact de cet infinitif dans la formulation de Napoléon : « Exciter = Faire naître, provoquer une réaction physique ou morale, animer, appeler, causer, éveiller, etc. » cf. *Petit Robert*, p. 651.

Corse jusqu'au bout des ongles, muré dans sa rancune contre les Français, peu liant, pas trop bien noté en général, souvent rebelle (en 1782 il conduit un chahut sous les fenêtres du nouveau supérieur, le père Berton, auquel les élèves ne pardonnent pas de remplacer le bon père Leleu), souvent puni.

Il se consolait dans la société de ses nouveaux amis, les héros de l'histoire antique. Plutarque, Tacite, Sophocle, Eschyle, c'étaient à peu près les seules lectures libres à la bibliothèque des minimes, en dehors des vies de saints et des ouvrages de théologie. Le soir, à la chandelle, il passe des heures et des heures à Sparte, en Lacédémone, à Athènes, à Rome, avec Alcibiade et Périclès, César et Brutus, les Gracques, Thémistocle. Les Spartiates surtout le fascinent, parce qu'il s'identifie à eux. Sa forme de résistance à la souffrance, c'est le stoïcisme : chercher sa force en lui seul, refuser toute plainte, et même trouver une sorte de joie âpre dans l'épreuve. De ce point de vue, il découvre qu'il était un Spartiate sans le savoir, d'autant plus qu'il perd la foi religieuse. Il n'avait jamais été très fervent, mais il était profondément respectueux du catholicisme de ses compatriotes et de sa mère, à base de pratiques extérieures, empreintes de superstition, plus que d'esprit évangélique. Cela ne tient pas à Brienne, sous le fardeau des prières en commun marmonnées matin et soir, de la petite messe quotidienne, de la grand-messe chantée tous les dimanches, où il y a aussi vêpres et conférences. Un courant souterrain de scepticisme, soufflé par le siècle, s'infiltre chez les élèves, où il devient presque un snobisme; les minimes sont mal placés pour lutter contre : ils sont plus fonctionnaires religieux que prêtres. Celui qui prend le plus de temps pour dire sa messe, c'est le vieux père Guérin : treize minutes. Mais le supérieur, Berton, l'expédie en neuf minutes, et un certain père Château bat tous les records en dépéchant la messe des morts (mais Napoléon ne confond-il pas avec une simple absoute?) en... quatre minutes et demie. Le coup de pouce final à sa foi est donné par un prédicateur maladroit, à propos de ses chers Romains, justement :

— J'entendis un sermon où un prédicateur disait que Caton et César étaient damnés. J'avais onze ans. Je fus scandalisé d'apprendre que les hommes les plus vertueux de l'Antiquité seraient brûlés éternellement pour n'avoir pas suivi une religion qu'ils ne connaissaient pas... Dès ce moment, je n'eus plus de religion.

Il reçoit la visite de ses parents dans l'été 1782, après trois années, trois siècles qui l'ont transformé en profondeur. Sa mère, emmenée par Charles pour aller « prendre les eaux » de Bourbonne-les-Bains, en Champagne, où elle devait soigner une mauvaise fracture de la jambe, se montre effrayée de sa maigreur accrue, de l'altération de ses traits; elle hésite quelques instants avant de le reconnaître. Il la rassure en lui expliquant qu'il veille beaucoup pour travailler, qu'il sacrifie même les récréations et lui dit tout net que « sa nature ne peut pas supporter l'idée de ne pas être tout d'abord le premier de sa classe ». En fait, il ne le sera jamais, mais montre qu'il connaît bien le langage à tenir à ses parents. Lui aussi les trouve changés : Madame Lætizia un peu desséchée, plus froide que jamais, et presque intimidée dans son dialecte corse par ce Nabulione devenu Napoléon. Charles-Marie, au contraire, en pleine euphorie, tout de jaune vêtu comme un gros canari, rempli d'optimisme et de projets : il vient d'hériter d'un oncle et de faire venir d'Italie à la *casa* d'Ajaccio un chargement de meubles, de glaces, de statues. Rue Malerba, il y a deux enfants de plus : Pauline et Maria Nunciata, mais aussi, luxe inouï, une femme de chambre et une cuisinière. Charles est de plus en plus souvent reçu par le comte de Marbeuf en son château de Cargese... Il s'occupe à planter ou à ensemencer en Corse des légumes français qui y étaient inconnus jusque-là : des asperges, des choux, des betteraves, des céleris et des artichauts. Napoléon, poli, réservé, heureux de les revoir, se garde bien de montrer ce qu'il en pense tout au fond de lui-même. Mais sa mère n'est plus la plus belle femme de la terre, et son père n'est plus un dieu. En cela aussi, il sort de l'enfance.

Et même Joseph le déçoit. Il avait continué d'entretenir avec lui une correspondance suivie, mais dans le style ampoulé que les régents des collèges imposaient alors à leurs élèves, que l'on n'autorisait à envoyer des lettres, même à leurs proches, qu'à condition de les rédiger à leur place : c'était une question d'honneur pour l'établissement. Le cuistre de service avait donc contraint les deux frères à se dire « qu'ils recevaient de leurs nouvelles avec une grande sensibilité », « qu'ils demeuraient les serviteurs obéissants et fidèles l'un de l'autre », et « que l'attachement inviolable qu'ils devaient à la Sainte Religion et au Souverain s'exprimait dans le cours heureux de leurs études ». A travers ce charabia, Napoléon avait cependant compris une chose : Joseph montrait de moins en moins d'enthousiasme pour se faire prêtre. Or, de ce point de vue, et tout en s'abandonnant au culte des héros anciens, Napoléon ne perdait pas le sens pratique paternel, teinté déjà d'un solide égoïsme. Comme pour beaucoup de familles nobles, la carrière des aînés avait été tracée d'avance, pour de simples raisons matérielles : Joseph pouvait espérer devenir évêque et Napoléon général. Tout le reste de la famille aurait vécu des bénéfices du premier et des rapines du second. A Autun, Joseph devait passer tout naturellement du collège au séminaire, sous la houlette du frère du comte de Marbeuf, ou plutôt sous sa crosse épiscopale. Or voilà que Joseph s'est mis en tête de suivre une carrière militaire, lui aussi, et dans le seul corps où les gentilshommes pauvres commençaient à entrevoir une possibilité de promotion rapide : l'artillerie, où il ne suffisait pas d'être noble et brave pour devenir un chef, mais où, à cause du progrès des sciences, il fallait savoir calculer et imaginer. En ces mêmes années, deux hommes qui marqueront leur siècle suivent ce raisonnement : un romancier non-conformiste nommé Choderlos de Laclos et un ingénieur nommé Carnot. Le tout jeune fils d'un boulanger de Nancy, Drouot, commence à en rêver (sans espoir puisqu'il est roturier). Napoléon y songeait depuis deux ou trois ans, à partir des conseils du père Patrault. Mais les préférences de Marbeuf et les conseils de Kéralio l'orientaient plutôt vers la marine. C'était le moment de la guerre de libération de l'Amérique; la marine française, démantelée par l'incurie de Louis XIV, puis de Louis XV, commençait à se reconstituer et à tenir tête aux Anglais, mais elle manquait cruellement d'officiers capables. Napoléon ne demandait pas mieux que de commander des vaisseaux, surtout que ceux-ci portaient maintenant une redoutable puissance de feu, et que cela réunissait son amour de la mer et son goût pour la balistique. Kéralio, lui, voyait là le champ idéal pour la mise en valeur de son intuition, de son coup d'œil, de son tempérament de « fonceur ». Mais Kéralio ne pouvait que recommander le petit Buonaparte et non disposer des places libres d'enseignes de vaisseau, distribuées chichement, et exclusivement aux protégés de la reine, par un ministre de la Marine sans envergure, de Castries. Restait l'artillerie. A mesure qu'il approche de ses quinze ans et de la sortie possible de Brienne, Napoléon déborde d'impatience. Il n'en peut plus, de cette Champagne pouilleuse et de ce couvent camouflé ! Or, si Joseph s'obstine à vouloir lui aussi faire carrière dans l'artillerie, il va tout simplement barrer la route à son cher Nabulione : les règles de la monarchie interdisaient formellement à deux frères de disposer de bourses dans la même arme. Tant pis pour l'amitié ! La première lettre authentique de Napoléon, datée de Brienne le 25 juin 1784, à son oncle Paravicini, est une contre-attaque presque féroce à ce propos contre le frère tant aimé cinq ans plus tôt :

*... Joseph a tort pour plusieurs raisons... Il n'a pas assez de hardiesse pour affronter les périls d'une action. Sa santé faible ne lui permet pas de soutenir les fatigues d'une campagne, et mon frère n'envisage l'état militaire que du côté des garnisons ; oui, mon cher frère sera un très bon officier de garnison, bien fait, ayant l'esprit léger, conséquemment propre aux frivoles compliments, et, avec ses talents, il se tirera toujours bien d'une société, mais d'un combat? ... Il a reçu une éducation pour l'état ecclésiastique. Il est bien tard de se démentir. Mgr l'évêque d'Autun lui aurait donné un gros bénéfice... Quels avantages pour la famille...*

... Une famille ou l'on commençait à s'aimer d'une drôle de façon. Quand Napoléon écrit ces lignes, il n'a pas revu Joseph depuis cinq ans, et il ne sait plus de qui il parle. Il se fait plutôt l'écho, comme un perroquet, des propos désabusés de son père, qui vient de revenir le voir pour la seconde et dernière fois, et pour qui, maintenant, tout va mal. En deux ans, l'héritage de l'oncle d'Italie dissipé, la famille augmentée encore d'un dernier enfant, Jérôme, les soucis vont se multipliant, et le prodigue Charles-Marie doit repartir à zéro dans son travail de Sisyphe pour placer ses enfants, apaiser ses créanciers, attendrir à nouveau les bureaux de Paris et de Versailles qui commencent à en avoir plein le dos. Ce tourment continuel lui ronge l'estomac : un ulcère lui coupe l'appétit, l'amaigrit, et lui inflige des douleurs insupportables. Il a perdu sa belle allure. Il geint, se plaint, ne se vante plus. Et cet animal de Joseph, qui lui complique les choses au lieu de les faciliter ! Napoléon et lui, au parloir de Brienne sont presque complices pour la première fois, à propos de la marche générale de la famille malgré leur différence de tempéraments et cette question de la Corse, qui les sépare en silence. Enfin, faisant contre mauvaise fortune bon cœur, Charles-Marie repart une fois de plus pour Versailles où il va tenter quand même, au cas où Napoléon ne serait pas versé dans la marine à Toulon en septembre 1784, comme Kéralio le lui a laissé espérer, de faire placer Joseph à la nouvelle école d'artillerie de Metz; Napoléon, lui, ira à l'École militaire de Paris, si la marine ne veut pas de lui...

Un été d'attente presque intolérable. De mauvaises nouvelles, d'abord : Kéralio a pris sa retraite, et c'est un nouvel inspecteur, Reynaud des Monts, qui viendra en septembre pour la décision finale. S'il n'apprécie pas Napoléon, il est possible qu'il le maintienne encore une année à Brienne. Heureusement, il a en main les notes si favorables de Kéralio et ne les dément pas. Napoléon de Buonaparte va quitter le collège, mais pas question de la marine : toutes les places sont prises. Il ira à Paris; quant à Joseph, il attendra encore un moment à Autun, avant de savoir si l'on peut faire une exception en sa faveur et l'envoyer à Metz. Qu'il soit l'aîné ou pas, on donne priorité à celui qui a le mieux travaillé ce métier-là depuis cinq ans. Dans l'état d'esprit où il était, Napoléon aurait marché sur le corps de « Giuseppe » pour être promu le premier. Quand la grille se referme en grinçant sur cet adolescent frêle et sec, il laisse au collège sans chagrin un autre frère, Lucien, que Charles-Marie y a conduit au début d'un été pendant lequel ils n'ont fait tous deux que se disputer : « le chevalier Lucien », âgé de neuf ans, tout aussi doué que Napoléon, n'a pas supporté le ton avec lequel celui-ci voulait le régenter. Il en restera froissé toute sa vie.

Brienne, c'est donc vrai, a fait de Napoléon un homme : capable de courage, d'intelligence ; hélas ! de dureté, de méchanceté aussi.

# La liberté

*Paris-Valence : vingt-trois mois
(19 octobre 1784-1ᵉʳ septembre 1786)*

« Toute la vivacité de ma
mélancolie... »
(Napoléon : notes rédigées à
Valence)

C'est en corbillard que Napoléon approche de
Paris pour la première fois. En corbeillard,
du moins, car c'est ainsi que les Parisiens sur-
nommaient le « coche d'eau » qui descendait
la Seine entre Nogent et Corbeil. Il allait si
lentement que ce surnom allait tout naturellement s'appliquer au char des morts, et lui rester
jusqu'à nos jours.

Ils sont cinq jeunes élèves enfin libérés de
Brienne, et ils n'ont pas soixante-dix ans à
eux cinq. Des chiens fous, des enfants élargis
de cette prison modérée qui leur avait tenu lieu
d'adolescence — et où vont-ils, pour leur premier lâcher ? à Paris! Il y a de quoi en être ivres,
et ils le sont un peu. Dampierre, Comminges,
Bellecour, de Castries et Buonaparte ont chanté
et chahuté tout au long de la route, dans des
limites fort strictes, pourtant, puisqu'ils étaient,
bien sûr, convoyés par un minime. Ils avaient
pris la malle-poste à Bar-sur-Aube, cette grosse
voiture pansue, mafflue, secouée de tous ses
ressorts et toute déformée par les hernies des
bagages accrochés au toit. Ils avaient couché

à Arcis, dans la même ville où un jeune bache-
lier, leur aîné de dix ans, Georges-Jacques Danton
finissait lui aussi sa vie tranquille et se préparait à
« monter » à Paris pour y devenir avocat. Le
lendemain, ils s'étaient traînés au pas des hari-
delles jusqu'à Nogent-sur-Seine, où ils avaient
tous couchés dans la même chambre, à l'enseigne
de « La ville de Jérusalem ». Embarqués au matin
sur une de ces grosses péniches qui faisaient la
joie des voyages au long des cours d'eau, ils
avaient payé chacun neuf livres et sept sols
pour que le coche d'eau, suivant le cours de la
Seine, les emmène en deux jours à Corbeil
par Montereau et Melun, puis les reprenne et
enfin les conduise, comme par une grosse artère,
au cœur même de Paris. Ils y avaient débarqué
le 21 octobre 1784, au port Saint-Paul, non loin
de cette berge indécise et sableuse qu'on appelait encore « la grève », à côté de la place où se
dressait l'Hôtel de Ville et où, sur l'échafaud
monté en permanence, on donnait encore chaque semaine le seul spectacle offert au peuple
de Paris : celui des supplices. Cinq heures du
soir; la nuit va bientôt tomber. Ils passent le
pont Marie, dont on commence à démolir les
maisons qui le surchargeaient; ils vont souper
au « Coq Hardi », le premier traiteur bon marché sur leur chemin. Ils font une courte promenade dans ce tohu-bohu de voitures, de cris,
de foule, encore si mal éclairés qu'ils doivent
se tenir par la main pour ne pas être séparés.
Il y a déjà des bouquinistes sur les bords de la
Seine, et Napoléon, tout ému, achète le premier
roman de sa vie : *Gil Blas*, de Lesage — qui date
déjà de quarante ans. Plus exactement, il se le

fait payer par son ami de Castries, plus fortuné. Le minime juge alors utile de reprendre la situation en main, et les emmène tous les cinq faire une prière dans l'abbaye de Saint-Germain-des-Prés, au cœur d'une agglomération hétéroclite de chapelles et de baraques foraines, toute la bizarrerie de Paris sous Louis XVI dans une lieue carrée. Et puis, finie la permission! Toujours suivant le quai de Seine, mais sur la rive gauche cette fois, il les conduit hors de la ville, au Champ-de-Mars. D'immenses bâtiments neufs, et même encore en chantier, émergent des terrains vagues : c'est là que « le jeune Buonaparte » prend possession de « sa place de cadet-gentilhomme dans la compagnie des cadets-gentilshommes établie par le Roi en son École Militaire ».

La première nuit est pénible, surtout après cette plongée trop brève dans la vie libre. Cette fois, ce n'est plus le couvent, c'est l'armée. « Le ton était différent de Brienne, dira Napoléon. Les classes se trouvaient commandées par quatre officiers de Saint-Louis et huit sergents, qui avaient le commandement haut et le ton militaire. » Et il n'a tout de même que quinze ans. En marge de Paris, dans cette plaine de Grenelle encore séparée de la ville par des jardins, il va être aussi renfermé qu'à Brienne, ou presque, mais il est vrai que c'est dans un des décors les plus étonnants de ce temps-là. L'École militaire, projetée en 1750, exécutée en partie, avec des fortunes diverses, entre 1751 et 1773, n'était pas vraiment terminée et d'ailleurs ne le sera jamais. Ç'avait été le plus grand projet urbain de Paris sous Louis XV, qui devait damer le pion au bâtiment géant voisin, les Invalides, construit par Louis XIV, et prouver que, de ce point de vue au moins, le Bien-Aimé était capable d'égaler son arrière-grand-père. Mais justement, conçue avec hardiesse par un financier-trafiquant, Pâris-Duverney, et un architecte de génie, Gabriel, avec la complicité de la toute-puissante marquise de Pompadour, l'École militaire avait vu, d'année en année, ses crédits rognés, ses plans rétrécis et ses attributions changées. Ce n'était pas tout à fait des Invalides ratés, parce qu'elle présentait tout de même, ne fût-ce que dans sa façade et ses pièces d'apparat, un bel échantillon du style architectural du XVIIIᵉ siècle, mais le mélange ahurissant de beauté, de noblesse, d'improvisation, d'oublis, de chantiers encore ouverts et de parties déjà trop étroites qu'elle constituait donnait une assez bonne idée du gâchis majestueux qu'avait été le règne de Louis XV. Telle que Napoléon la trouve en 1784, c'est cependant quelque chose d'unique au monde, que les visiteurs étrangers ne manquent jamais : une petite ville autonome en marge de la grand-ville, avec ses logements d'officiers, ses dortoirs d'élèves, son infirmerie, ses communs, le manège encore en construction, la chapelle, les écuries, des égouts construits exprès et allant directement à la Seine, et son horloge monumentale, « la plus belle qu'on ait jamais vue, tant pour le génie que pour la belle exécution » : chef-d'œuvre du sieur Lepaute, ses 962 pièces marquent « toutes les révolutions du soleil » et sonnent huit fois par heure avec des marteaux de 60 kilos.

Quand il montait au faîte du bâtiment, Napoléon pouvait apercevoir, en face, de l'autre côté de la Seine, le joli village de Chaillot, étagé sur sa colline, où le Tout-Paris allait alors, par le bac, visiter monsieur Franklin, l'apôtre des temps nouveaux, l'ambassadeur des États libres d'Amérique, qui résidait chez des amis. Tout autour de l'École, bordé par de hauts talus de gazon qui imitaient assez bien les forteresses et les courtines des villes ennemies, le champ était encore vraiment celui de Mars, puisque les officiers et les soldats pouvaient y manœuvrer chaque jour à pied et à cheval et y faire exploser de grosses bombes, dont le bruit incommodait fort les habitants du bourg voisin de Vaugirard.

Sa première impression défavorable, provoquée par le contact avec la vraie discipline militaire, ne dure pas : au bout de quelques jours, il est rempli de fierté par la sensation que cet immense établissement tourne un peu autour de sa petite personne, puisqu'une profusion incroyable d'officiers supérieurs, d'instructeurs, d'inspecteurs, d'intendants, et la foule innombrable du petit personnel fonctionne pour permettre à cent vingt élèves de devenir l'élite de l'armée future. Enfin, un cadre digne d'un Buonaparte ! Devenu empereur, il s'en indignera même ; et les élèves de ses écoles militaires seront beaucoup moins bien traités que ceux du Roi. « Nous étions nourris, servis, traités avec magnificence, en toutes choses, comme des officiers qui jouiraient d'une grande aisance, plus grande certainement que celle dont beaucoup d'entre nous devaient jouir un jour. » Pour la première fois de sa vie, Napoléon a des domestiques, ceux qui servent les cadets au réfectoire et au manège. Et cela ne lui est nullement désagréable. Et puis il aime cette vie saine et rythmée par les exercices physiques, qui entraînent réellement à l'effort. Les cours se bousculent, donnés par seize maîtres excellents, avec une dominante pour les sciences, qui le passionnent de plus en plus. Le voilà plongé dans l'algèbre, dans la géométrie analytique, la mécanique, l'hydrostatique, même les premières notions de calcul différentiel et intégral, voire de mécanique appliquée. Il fait même des progrès en « belles-lettres », et son professeur de français, Monsieur Domairon, quand il parvient à déchiffrer ses dissertations, y sent un frémissement, une fièvre qui le frappent : « C'est du granit chauffé au volcan. » Le seul drame, c'est l'allemand. Une fois pour toutes, Napoléon a décidé que cette langue barbare ne lui servirait à rien, et il oppose une force d'inertie inébranlable à son professeur, monsieur Bauer, qui est furieux. Un jour où il « sèche » son cours, Bauer demande où est ce damné Buonaparte.

— A l'exercice d'artillerie, Monsieur.

— Comment, mais est-ce qu'il est donc capable de quelque chose ?...

— Mais, Monsieur, c'est notre plus fort mathématicien.

— Ach !... J'ai toujours entendu dire, et j'ai toujours pensé que les mathématiques n'allaient qu'aux bêtes !

Ce qui va moins bien, là encore, c'est le rapport quotidien avec les camarades. Toujours question de caste, sinon de classe, puisque tous étaient nobles. Mais l'École militaire hébergeait deux sortes de cadets : une moitié de boursiers, et une moitié de gosses de riches, porteurs des plus grands noms de France, les Montmorency, les Rohan, dont les parents payaient deux mille livres par an (environ dix mille francs 1969) et qui étaient certains, par faveur, d'obtenir à leur sortie des grades et bientôt un régiment. Ils travaillaient donc le moins possible : pourquoi se seraient-ils cassé la tête ? Et ils jugeaient mauvais genre, presque vulgaire, l'acharnement d'un Buonaparte à ses études. Et toujours, cet accent corse, ce surnom de « Paille au nez » qui le poursuit... Napoléon est demeuré d'une susceptibilité intransigeante, et répugne moins aux bagarres qu'à Brienne. Quant il s'estime offensé, il part poings en avant et rentre dans le tas des Ségur, Noailles, Turenne, et compagnie. « Que de roufflées je leur ai distribuées... » (*Mémorial*). Il ne passe d'ailleurs rien à personne sur ce chapitre. Un jour de confession obligatoire, avant les Pâques, voilà que l'aumônier, influencé sans doute par les inévitables mouchards, se met à le chapitrer sur son particularisme national, et à le lui imputer en péché. Il jaillit hors du confessionnal comme un diable de sa boîte :

— Je ne viens pas ici pour parler de la Corse, et un prêtre n'a pas mission de me chapitrer sur cet article !

Il en remontre même à l'archevêque de Paris, qui vient donner la confirmation aux élèves et s'effare de son prénom :

— Napoléon? Je ne trouve pas cela dans le calendrier.

— Mais Monseigneur, n'y a-t-il que trois cent soixante-cinq saints au ciel?...

C'est nouveau, cela : non seulement il répond du tac au tac, mais il a gagné en esprit de repartie. Et, comme il fait un peu peur, on le taquine finalement moins qu'à Brienne, on fait une petite place à « cet humoriste », comme on l'appelle, à « ce petit jeune homme brun, triste, rembruni, sévère, et cependant raisonneur et grand parleur » dont un de ses condisciples, Aimé Martin, se souvenait si bien trente ans après. Le bel uniforme de l'École, d'allure déjà bien aristocratique, un habit bleu à collet rouge et à doublure blanche avec des galons d'argent, lui donne un peu plus de carrure, des épaules plus larges. S'il est capable de mieux fustiger il est aussi capable de mieux aimer. Un coup de chance l'y aide : il s'entend vite avec son « binôme », c'est-à-dire « l'ancien » qu'on lui attribue comme « camarade-instructeur » pour la manœuvre de l'infanterie : Alexandre des Mazis, qui sera son seul véritable ami de jeunesse. Des Mazis est le premier à noter que la grande vivacité d'esprit et l'intuition déjà rapide de Napoléon peuvent s'allier à une distraction gênante, voire dangereuse. Un jour d'exercice collectif, le chef du petit bataillon commande :

— Reposez armes !

... Tous les fusils s'abaissent, sauf un, planté en l'air comme un mât : celui de Napoléon qui rêve. A sa droite, des Mazis lui donne un coup de coude désastreux, parce que Napoléon, sursautant, laisse brutalement retomber sa crosse à terre et met l'officier en rogne :

— Monsieur Buonaparte, réveillez-vous donc! Vous faites toujours manquer l'exercice!...

Il est vrai que, s'il gagne des Mazis comme ami, il récolte son premier ennemi vrai : Phélipeaux, un des plus anciens de l'école (trois ans), un aristocrate d'origine vendéenne, qui regarde ce petit pruneau corse comme on regardait récemment encore un Arabe ou un Noir. Les deux garçons s'envoient sournoisement des coups de pied dans les chevilles sous les tables de l'étude, quand ils sont voisins, et Napoléon y va de bon cœur, d'autant plus qu'il sait Phélipeaux fortuné et bien en cour.

Ces quelques mois dans un petit monde partagé entre ceux qui ont des chances et ceux qui n'en ont pas lui donne aussi l'occasion d'une nouvelle prise de conscience sociale et même politique. Jusqu'à l'École militaire, le partage des bons et des méchants, toujours simpliste à son âge, se faisait en lui d'après ses souvenirs d'enfance : les bons, c'étaient les Corses; les méchants, c'étaient les Français et les Génois. Maintenant, cela devient un peu plus compliqué : les bons, ce sont les pauvres, ceux qui sont forcés de travailler, les méchants, ce sont les privilégiés de la fortune. L'année qu'il passe au bord de Paris, dont il commence à percevoir sourdement la rumeur, c'est l'année du scandale du collier de la Reine, qui met en lumière le glissement général de la cour de Louis XVI vers le règne insolent de l'argent. Même les princes du sang spéculent sur les terres, les bijoux, l'or, les châteaux. Le luxe déchaîné entraîne les dettes et les faillites en cascade, souvent comblées par la caisse royale, qui elle-même atteint la limite possible du déficit. Le fils de Madame Lætizia, qui compte chaque matin elle-même les œufs du poulailler et les bouteilles du cellier, en est profondément choqué. En cette même année, quelques autres petits nobles que leur pauvreté oblige à piétiner aux portes du succès, malgré leur valeur, commencent à sentir monter en eux une rage inextinguible : l'ingénieur Carnot, l'avocat Robespierre, l'étudiant Saint-Just. Dans cette perspective, les querelles entre « boursiers » et « pensionnaires » à Grenelle prennent une dimension significative. Sans philosopher là-dessus outre mesure, et sans prétendre le moindrement changer un état de choses qui lui paraît encore établi pour l'éternité, Napoléon serre les dents et se prépare à la lutte la plus fructueuse possible pour atteindre le sommet de cette société qu'il voit déjà comme un panier de crabes. Un espoir le soutient : son père est l'homme au monde le plus capable de le « pousser » à force de souplesse et d'intrigues. Il va justement venir le voir à Paris pour mettre au point avec son fils les démarches les plus urgentes à faire. Il a dû débarquer à Marseille au début de janvier, aller voir Fesch à Aix-en-Provence, peut-être faire un crochet par Montpellier pour consulter des spécialistes sur ces maux d'estomac qui le tourmentent tellement; le temps de passer à Autun voir Joseph et à Brienne voir Lucien, il sera là.

... Dans la matinée du 23 mars, Napoléon

voit venir à lui un des confesseurs de l'école, au visage grave, qui l'entraîne vers un parloir avec des précautions inhabituelles. Il comprend très vite : c'était la coutume à l'École militaire de faire annoncer ainsi les deuils. On lui propose, dès qu'il a compris que son père est mort à 39 ans, de le conduire à l'infirmerie, toujours selon l'habitude, « pour qu'il puisse être seul dans les premiers moments de la douleur ». Il refuse vivement. Fréquenterait-il en vain les Romains depuis des années ?

— Croyez-vous que je n'ai pas assez de force d'âme ?

Le pauvre Charles-Marie venait de connaître un calvaire. Deux fois rejeté sur les côtes de Corse par le mauvais temps, il était arrivé à Aix dans un tel état, tordu par des crampes d'estomac terribles, vomissant le sang, amaigri, incapable d'absorber quoi que ce fût, qu'il avait dû se rendre tout de suite à Montpellier, alors la ville la plus célèbre de France pour la qualité de ses médecins. Fesch l'avait accompagné, ainsi que Joseph, venu d'Autun à sa rencontre. Il avait des amis là-bas, les Permon : Madame Permon, née Stephanopoli de Comnène, donc d'origine grecque, avait été, quelques années plus tôt, l'amie d'enfance, à Ajaccio, de Lætizia. C'est donc chez eux qu'il devait s'aliter en arrivant pour ne plus se relever : trois sommités médicales avaient été incapables d'enrayer le mal. Un cancer au pylore ? Un ulcère perforé ? En fait, c'est l'anxiété de la vie quotidienne, et son esprit d'agitation constant qui avaient eu raison de lui. Il avait été assisté, dans une agonie très pénible, par ce tout petit groupe autour de lui, et les franciscains de Montpellier. Après avoir vécu en sceptique et en voltairien la plus grande partie de sa vie, les trois derniers jours il avait réclamé des prêtres à grands cris et n'en trouvait jamais assez à son chevet. Il s'était éteint le 24 février dans cette ville inconnue, dont il n'avait fait qu'entrevoir la grandeur et la beauté, sous les torrents des grandes pluies du printemps.

Napoléon, à cette nouvelle, éprouve un chagrin superficiel et une profonde contrariété. Il n'aimait pas vraiment son père et avait cessé de l'admirer, mais il comptait sur lui. D'abord pour sa carrière : le voilà privé de son indispensable « manager ». Et puis pour ses besoins : qui va faire fructifier, en Corse, les biens des Buonaparte ? Qui va s'occuper de placer ou de marier tout le petit troupeau des frères et des sœurs ? Il voyait poindre la fin de ce long tunnel qu'avait été sa formation ; et il sent soudain comme une trappe se refermer sur lui. Joseph n'ayant pas été encore orienté vers une carrière définie, Napoléon va être le seul, dans quelques mois, à disposer d'un salaire et d'une charge. Il sait très bien ce que cela signifie, en face d'une famille à la conception naïvement tribale : on lui sucera la moelle des os.

Sa lettre de condoléances à sa mère est glaciale, mais aussi parce qu'elle est rédigée en partie selon les modèles des professeurs : « Consolez-vous, ma chère mère, les circonstances l'exigent. Nous redoublerons nos soins et notre reconnaissance, et heureux si nous pouvons, par notre reconnaissance, vous dédommager un peu de l'inestimable perte d'un époux chéri... Ma santé est parfaite, et je prie tous les jours que le ciel vous en gratifie d'une semblable. Présentez mes respects à Zia Geltruga, Minana Saveria, Minana Fesch... » Au moment, où il va fermer le pli, le canon tonne tout près, aux Invalides. Tout Paris tend l'oreille. Vingt et un coups?... Non ! Cent un ! C'est un second héritier du trône. Il ajoute un post-scriptum : « La Reine de France est accouchée d'un prince, nommé Duc de Normandie, le 27 mars à sept heures du soir. Votre très humble et affectionné fils, Napoleone de Buonaparte. » Le pauvre enfant qui vient de naître, devenu dauphin par la mort de son frère, mourra prisonnier au Temple sous le nom de Louis XVII, et le canon des Invalides attendra vingt-six ans avant de tonner à nouveau cent un coups pour la naissance d'un héritier du trône, mais ce sera alors pour le fils de Napoléon, qui portera justement, comme troisième prénom, celui de ce grand-père mort dans la désolation sans savoir qu'il avait donné le jour à un empereur, trois rois, une reine et deux princesses régnantes. Le Roi de Rome s'appellera Napoléon-François-Charles.

On pare au plus pressé : plus question pour Joseph de prétendre à l'armée; il va revenir en Corse, où ses dons de plume et sa parole facile aideront le vieil archidiacre Lucien, tuteur officiel de tout ce petit monde, à gérer les biens familiaux. Quant à Napoléon, il lui faut à tout prix « entrer dans la carrière », sans regarder à ses préférences. Il aurait pu encore prétendre à la marine, s'il était resté un an de plus à l'École militaire, mais il n'est pas question d'attendre. Premier sacrifice : il postule immédiatement pour un poste dans cette artillerie, qu'il a d'ailleurs beaucoup appris à aimer. Encore heureux si l'examen de sortie ne le contraint pas à redoubler ! Dès le mois de mai, il se met à repasser fièvreusement toutes les matières du programme et ne connaîtra pas un jour de distraction pendant l'été. On le dirait à cent lieues de Paris.

Du 6 au 12 septembre, c'est un des plus illustres savants de France, Laplace, qui vient à l'École examiner les candidats à l'artillerie. Tout vêtu de noir, solennel et bienveillant, il interroge longuement chaque élève, sa vue déclinante protégée par une de ces bizarres visières transparentes qu'on appelait des « garde-vue ». Napoléon ne s'en tire pas trop mal : il est reçu quarante-deuxième sur cinquante-huit. Des Mazis l'a échappé belle : il est cinquante-sixième. Le 28 septembre, on publie le tableau des promotions : des Mazis et Buonaparte sont affectés comme « lieutenants en second » au régiment de La Fère-artillerie, cantonné à Valence. Napoléon reçoit son brevet signé du roi et contre-signé par le ministre de la Guerre, Ségur. Il est antidaté du 1er septembre, ce qui lui permettra de dire fièrement : « J'ai été officier à seize ans et quinze jours ! » Fierté légitime : il est en effet l'un des plus jeunes officiers de France promus sur le seul mérite de leurs études, si l'on ne tient pas compte de certains nobles dont les parents achetaient à treize ou quatorze ans une charge de colonel.

Il est aussi le premier Corse sorti de l'École militaire — mais, de cela, il ne se vantera pas.

Un dernier mois d'attente et de préparatifs. C'est l'École qui fournit aux boursiers, cette fois, leur trousseau d'officier. Jamais Napoléon n'a reçu de si belles choses. En sus des chemises, des cols, des douze paires de chaussures, voici ces attributs merveilleux de la vie nouvelle : les boucles de souliers, les boucles de jarretières, l'épée, le ceinturon, tout cela en argent. Il se pavane si fièrement là-dedans que les deux petites filles de ses amis Permon, qui habitent maintenant Paris et qu'il va voir avant de partir, deux pestes, se moquent de lui :

— Vous avez l'air du Chat botté !

Il reçoit aussi une indemnité de route : cent sous par journée de voyage. Plus une avance de vingt-quatre livres sur sa solde : l'équivalent d'un de nos nouveaux billets de cent francs. Il n'a jamais eu tant d'argent sur lui. Le lundi 31 octobre 1785, à cinq heures du matin, encore dans la nuit, par un beau temps clair et frais, il prend, place des Victoires, la diligence de Lyon en compagnie de des Mazis. Ils doivent coucher à Sens le premier soir, et descendent avec d'autres voyageurs, vers midi, pour soulager l'énorme véhicule tiré par six chevaux dans une côte avant Fontainebleau. Des Mazis est alors témoin d'une scène étrange : ce Buonaparte toujours si constipé se met soudain à gambader dans la forêt. Il porte l'épée; il a sa malle pleine d'habits neufs; il a de l'argent en poche; il va commander à des hommes qui auront deux fois son âge. Il crie :

— Enfin, je suis libre ! Je suis libre !

Il est aussi le premier Corse sorti de l'école militaire — mais, de cela, il ne se vantera pas.

Deuxième jour du voyage : Joigny, Auxerre, Autun, où il n'a plus personne à voir, et coucher à Chalon; troisième jour : le coche d'eau qui descend la Saône, jusqu'à Lyon; quatrième jour : ils prennent un vrai bateau pour descendre le Rhône jusqu'à Valence. La rapidité de ce voyage, qui se faisait en huit jours encore quelques années plus tôt, les éblouit. Le service des messageries, la célérité des relais et la qualité des grand-routes ont permis cette amélioration; mais ils ont déjà bourse plate : le pourboire aux postillons et la chère des auberges l'ont vidée.

Ils vont saluer leur colonel, M. de Lance, qui apprend à Buonaparte son affectation à « la compagnie de bombardiers » du capitaine Masson d'Auterive, ce qui signifie qu'il aura d'abord plutôt affaire à des mortiers qu'à des pièces à portée moyenne ou longue. Puis ils se mettent en quête d'un logement. Les officiers n'avaient pas alors de « logements de fonction » et devaient trouver un gîte à leurs frais, à proximité de leurs hommes. Mais, pour la première nuit, la municipalité leur délivre un billet de logement obligatoire chez une vieille demoiselle, Claudine-Marie Bou, qui habite une maison avec des chambres vides à l'angle de la Grand'Rue et de la rue du Croissant, juste en face de la Maison des Têtes, pittoresque souvenir de la Renaissance qui existe encore aujourd'hui. Elle est accueillante et souhaite héberger habituellement « de petits jeunes gens convenables ». Se rendant compte que Buonaparte sera la sagesse

78

même, elle lui propose dès le lendemain de le garder en lui louant, pas cher, une pièce au deuxième étage; des Mazis, qui a envie de s'amuser, prend le large, tandis que Napoléon, très content, accepte et sera logé pendant tout son séjour à Valence chez la bonne demoiselle Bou, qui s'occupera aussi de son linge.

Il va passer là près d'un an. Heureux? Pas tout à fait. Trop tendu pour cela, trop crispé par un système nerveux altéré après sept ans de vie de pension ingrate, et par la constante préoccupation de faire son service mieux que les autres, de « monter » plus vite qu'eux. Il a déjà l'ambition de son père et, à cause d'elle, ne connaîtra plus jamais vraiment le repos. A cette époque, « petit, imberbe, maigre, il ne paye pas de mine. L'uniforme plissé par ses mouvements brusques, le cou enveloppé par une haute cravate tortillée, les tempes dissimulées par de longs cheveux plats et retombants, les joues creuses, les lèvres sérieuses et serrées par l'attention, les yeux vifs et scrutateurs, la voix creuse, le timbre sourd, la parole rare, brève et sèche, il a tous les signes de la fermeté et de l'obstination empreints sur son visage d'un caractère puissant, mais revêche et désagréable; en un mot, toutes les apparences d'un jeune homme méditatif, concentré, peu disposé à la conversation, défiant et timide » (A.M. Franck : *Valence et le lieutenant Bonaparte*). Tel il apparaît à la première « société » qu'il fréquente, celle d'une ville encore modeste, mais pétrie (c'est le cas de le dire : de vieilles pierres à chaque coin de rue) de souvenirs romains, et consciente d'être au carrefour du

Midi et de tout le reste, qu'on baptise déjà « le Nord » avec mépris. Ville de garnison qui se pique d'un grand passé et dont un petit noyau de nobles et de grands bourgeois tente de mener une vie intellectuelle ouverte au grand brassage d'idées qui commence à secouer la France, Valence lui offre plus de ressources mondaines et intellectuelles que d'autres. Elles ne sont pas tant limitées par les autres que par sa propre timidité, encore farouche, et par le peu de goût qu'il éprouve déjà pour les bavardages inutiles.

Sa vie se partage en trois parts inégales. La plus importante, de loin, c'est son apprentissage « sur le tas » de la véritable vie militaire. Il s'y consacre avec une sorte de fureur dans l'application, pour faire la preuve, aux autres et à lui-même, que sa vraie vie est là et pas ailleurs, et qu'il est fait pour ça. Valence, avant tout, pour lui, c'est son entrée au régiment. D'une part, il faut se faire apprécier du colonel et de ses adjoints, les commandants, qu'on appelait « les adjudants-majors », puisque tout l'avenir de sa carrière dépend de leur jugement. D'autre part, tout de suite, il faut apprendre à parler aux hommes et à se faire obéir d'eux. Un régiment, sous l'Ancien Régime, c'était une sorte de petite entreprise privée, attribuée par le roi à son colonel, à charge à celui-ci de recruter les soldats et de les entretenir. Le corps royal de l'artillerie comprenait cinq régiments, répartis dans toute la France, et transformés un peu en écoles permanentes pour les officiers et les hommes, en raison des récents progrès techniques : un ingénieur de grand talent, Gribeauval, venait de réformer son organisation d'une main de fer en unifiant le calibre des pièces, en uniformisant les règles de manœuvre et les plans de feu. Mais tout le monde n'avait pas encore fini de se coller tout cela dans la tête. Le régiment de La Fère comptait mille quatre-vingts hommes répartis en deux bataillons, chacun divisé en dix compagnies : deux de bombardiers, sept de canonniers et une de sapeurs; être lieutenant « en second » là-dedans, pour Napoléon, cela voulait dire commander effectivement, sous la responsabilité du premier lieutenant, une cinquantaine de gaillards recrutés souvent par ruse ou par force, pour sept ans au moins, et attachés à traîner, entretenir, puis enfin faire tirer une douzaine de « bombardes »: les mortiers, à l'allure de gros crapauds à gueule ouverte, qui crachaient sur l'ennemi, d'assez près (moins de cinq cents mètres), des boulets simples ou rougis au feu, ou de vraies bombes explosives. Avant d'être admis à cette responsabilité, il doit encore — et c'est une des nouvelles mesures de Gribeauval — servir, comme tous les cadets-gentilshommes, à tous les échelons inférieurs, pendant un stage de trois mois environ. L'hiver le verra donc successivement simple « bombardier », puis adjudant, caporal et sergent, ou du moins remplissant ces fonctions-là. C'est seulement le 10 janvier 1786 qu'il franchit à nouveau le fossé, alors définitif, qui séparait les « bas-officiers », issus du peuple, des lieutenants et au-dessus, qui ne pouvaient être que nobles. Tout a bien été. Il est bien noté par les chefs. Quant aux hommes, pas de problèmes particuliers : aucun de ceux qui ont été à son contact, soit comme pseudo - « égaux » pendant le stage, soit comme inférieurs ensuite, ne se souviendra de lui particulièrement. Ils en avaient tant vus, de ces blancs-becs à particules et à dentelles qui sortaient des écoles du roi pour leur en remontrer ! Buonaparte, comme tout très jeune homme qui doit s'imposer à des anciens, a la parole brève, le geste cassant, ne fraternise en aucune manière et borne les relations humaines au service. De ce point de vue, il est obéi comme un autre, surtout qu'il sait ce qu'il faut faire et ne cafouille pas dans les manœuvres. On n'a pas d'intérêt à se moquer en face de son accent corse et de son allure de gringalet : les punitions corporelles viennent d'être introduites par Louis XVI dans l'armée française, à la mode de l'armée prussienne, et on risque vingt-cinq coups de bâton sur les reins pour insolence envers un supérieur.

Deuxième part de sa vie : les lectures, enfin libres, qui forment le plus clair de ses soirées. C'est une boulimie, bien naturelle si l'on songe qu'il échappe pour la première fois à la censure des éducateurs. Juste en face de chez Mademoiselle Bou, il y a le libraire Aurel, qui tient un cabinet de lecture, comme la plupart de ses confrères alors. Buonaparte est un de ses clients assidus. Encore les Romains, mais déjà Rousseau et l'abbé Raynal, qui faisait alors fureur ; Corneille, mais aussi Montesquieu. Et une histoire anglaise de la Corse, celle de Boswell, toute « paoliste », qui venait d'être publiée

— à Amsterdam, bien sûr — et l'enflamme beaucoup, parce qu'elle rejoint et confirme ses impressions d'enfance, à tel point qu'il met la main à la plume pour la première fois, et commence la rédaction d'une furibonde *Lettre sur la Corse* où ce jeune apprenti dans les armées du roi de France déverse un torrent d'invectives sur les Français.

Bon : il travaille, il lit, il écrit. Mais il n'a quand même pas tordu le cou à l'élan vital de ses seize ans au point d'en délaisser la détente. Même si elle est faible et restreinte, la troisième part de sa vie à Valence sera faite d'excursions dans les montagnes de Grenoble, qu'on aperçoit au loin, souvent enneigées (il visitera la Grande-Chartreuse), de folles promenades à cheval avec des Mazis au long du Rhône, non encore endigué, et qui lui plaît par ce qu'il a encore de sauvage et d'irrépressible — et puis quand même, et puis enfin, des « fréquentations ». Dans un certain « beau monde », il amuse, il intéresse : quand il se redresse au coin d'une cheminée dans son uniforme d'artilleur de La Fère (« le plus bel habit du monde », dira-t-il), rouge et bleu avec de l'or et de la soie qui brillent, et qu'il se laisse aller, en confiance, à de petits discours solennels et confus, on commence à l'écouter, à le distinguer. A Valence, comme partout, il y avait une dame mûrissante et tyrannique dont le « salon » gouvernait les beaux esprits de la ville : madame du Colombier; elle remarque le petit lieutenant si drôle qui désennuie les provinciaux rien qu'en se montrant, et elle l'invite dans sa maison de campagne, à Basseaux. Il y va d'autant plus volontiers qu'elle a une fille jeune et jolie, Caroline, qui a tout juste l'âge de Napoléon, et qui reçoit à Basseaux ses amies de collège, plus mignonnes et rieuses les unes que les autres : la petite de Laurencin, la petite de Saint-Germain. Elles regardent pérorer Napoléon, un peu à la dérobée, se moquent encore de lui, mais gentiment, et avec un rire frais qui ne trompe pas. Voilà une sensation nouvelle, à laquelle Brienne et Paris ne l'avaient certes pas habitué : la caresse de jolis yeux qui ne demandent qu'à s'attarder sur lui. Il hésite un peu avant de choisir celle qui sera sa première « amie de cœur », et c'est finalement Caroline du Colombier qui l'émeut assez, oui la première de toutes, pour qu'il en ait parlé avant de mourir à Sainte-Hélène : « On n'eût pas pu être plus innocents que nous. Nous nous ménagions de petits rendez-vous. Je me souviens encore d'un, au point du jour, au milieu de l'été... On le croira avec peine, tout notre bonheur se réduisit à manger des cerises ensemble. »

Mais comme tout « temps des cerises », celui-ci comporte sa rançon de chagrins; volage, Caroline du Colombier se tourne vers le fils d'un soyeux de Lyon, Bressieux, et préfère si bien ce marchand à Buonaparte — quel affront ! — qu'elle ne tardera pas à l'épouser. Par dépit amoureux, peut-être, et peut-être parce qu'il a vivement pris goût aux cerises, il se retourne incontinent vers Louise-Adélaïde de Saint-Germain, et lui demande le mariage au bout de deux mois, si bien que les parents de la jeune fille lèvent les bras au ciel et font cesser ce marivaudage : un lieutenant d'artillerie de seize ans sans avenir ! Non mais !

Alors l'été le verra subir le contrecoup de cette petite tempête sentimentale, qui cristallise la mélancolie latente d'une enfance contrariée. Il fait d'étranges emprunts chez Aurel : les poésies apocryphes du barde irlandais Ossian (une série de lamentations lugubres comme des cris d'oiseaux de mer); *Werther*, de Gœthe; Bernadin de Saint-Pierre; et Rousseau, Rousseau, Rousseau à en crever ! Qui l'aurait cru? Il plonge tête baissée dans le romantisme qui commençait à pointer dans sa génération. Il écrit : « Toujours seul au milieu des hommes, je rentre pour rêver avec moi-même et me livrer à toute la vivacité de ma mélancolie. De quel côté est-elle tournée aujourd'hui? Vers la mort... » Crise ou crisette? Crise, qui n'est pas seulement le petit accès de fièvre maligne du premier chagrin d'amour, mais l'entrée de son esprit dans « la dimension romantique » qu'il conservera longtemps en lui, au moins jusqu'aux jours épais de son âge mûr. Une sorte de fréquentation du désespoir, d'égal à égal, non sans tendance à la délectation morose.

La vie militaire, les soucis de famille vont se charger de le secouer. Une sale corvée, d'abord : sa première mission. La moitié du régiment de La Fère, le second bataillon, justement celui auquel appartient Napoléon, est envoyé le 12 août 1786 à Lyon, pour achever de réprimer une émeute qu'on ne trouve pratiquement dans aucun manuel d'histoire : celle des *Deux sous*. Près de cinquante ans avant le massacre des canuts par le général Bugeaud, Lyon se manifestait déjà comme la première ville de France où la classe ouvrière naissante, autour des métiers mécaniques, commençait à prendre conscience des conditions de vie, ou plutôt de mort lente, auxquelles elle était soumise. La journée de travail dure de 5 heures du matin à 8 heures du soir. Les enfants sont soumis à ce régime à partir de huit ans. Or la « grande fabrique » lyonnaise, qui comprend déjà les tirés, les velours de soie, les façonnés, les pleins, les gazes et les crêpes, tourne avec 14 177 métiers, manipulés par 58 000 hommes, femmes et enfants, les trois septièmes de la population. Son chiffre d'affaires annuel est de vingt millions (quatre-vingts millions de francs 1969), dont les neuf dixièmes vont aux possesseurs des fabriques, nobles ou grands bourgeois. Poussés au bout du désespoir, les ouvriers se mettent en grève et manifestent pour que leurs salaires soient augmentés de *deux sous par aune*. Devant la menace de répression, une foule d'ouvriers quittent la ville et tentent de gagner à pied la Suisse, qu'ils se représentaient comme le paradis de la justice. Le bon roi Louis XVI fait marcher contre eux une formidable concentration de troupes, rendues libres par la fin de la guerre d'Amérique. On prend les ouvriers lyonnais dans un gigantesque filet tendu entre eux et la frontière, on les ramène de force à Lyon changé en bagne, on en pend une dizaine place Bellecour, pour l'exemple, et on garnit tous les ponts de la ville avec un déploiement massif d'artillerie, afin de leur enlever l'envie de recommencer. C'est pour cette dernière mission que le régiment de La Fère avait été requis. Quand Napoléon arrive avec ses hommes, tout est déjà fini : la ville en état de siège est calme; les corps suspendus aux gibets s'y dessèchent tranquillement, les ouvriers sont cloués à leur taudis et à leurs travaux forcés ; une sorte de stupeur satisfaite émane de Lyon qui digère dans le brouillard humide.

Personne ne saura jamais ce qu'il a pensé de tout cela. Il n'en a jamais parlé. Il préside au maintien de l'ordre, comme ses collègues, avec discipline. Sans doute s'exerce-t-il aussi au métier de soldat en s'efforçant de ne pas penser. Mais quelque chose le chiffonne beaucoup plus que le sort des canuts : le régiment de La Fère, à l'automne, doit quitter Lyon pour Douai, sans doute en raison des dangers de guerre qui commencent à exister entre la France et l'Autriche à propos des Pays-Bas. On commence à regarnir la frontière du Nord et de l'Est. Monter plus haut que Paris sans avoir revu les siens? Il est tout entier possédé par une nostalgie de la Corse qui finit par dominer tout autre sentiment, surtout après les chocs sentimentaux de l'été. Et puis on a besoin de lui là-bas pour des décisions urgentes; il faut que la famille se retrouve, fasse un bilan, décide que faire des petits frères et sœurs. Il commençait à mal supporter Valence, où le mistral continuel lui crispait les nerfs et l'empêchait de dormir. Alors, Douai au lieu d'Ajaccio? Il s'imagine qu'on va l'envoyer en Sibérie. Il demande et obtient, grâce à ses bonnes notes et à l'intervention de son colonel, un « congé de semestre », et part le 1er septembre pour la Corse, « après une absence de la patrie de sept ans neuf mois, et âgé de dix-sept ans un mois ».

# Entre la Corse
# et la France

*Ajaccio-Paris-Ajaccio-Bastia-Auxonne-Seurre :*
*trois ans*
*(septembre 1786-septembre 1789)*

> « Bonaparte, avec beaucoup
> d'esprit, un grand mouvement
> d'idées et une expression toujours
> pittoresque, ne savait pas causer.
> Il parlait, et on l'écoutait, voilà
> tout... Qu'il devait être ridicule,
> avant d'être empereur! »
>
> (Barbey d'Aurevilly)

Il passe par Aix-en-Provence pour saluer l'oncle Fesch au séminaire, où il est maintenant flanqué du jeune Lucien, qu'on tente de persuader de devenir le prêtre de la famille, puisque Joseph ne l'a pas voulu. Et puis il regagne la Corse avec une joie d'enfant.

« Homme trop heureux ! Cours, vole, ne perds pas un moment. Si la mort t'arrêtait en chemin, tu n'aurais pas connu les délices de la vie, celles de la douce reconnaissance, du tendre respect, de la sincère amitié... » C'est lui qui va écrire cela dans un *Discours à l'Académie de Lyon* qui offrait un thème de concours sur « le retour au pays natal ». Style ampoulé, mais vérité du cœur. La bonace était tombée sur son bateau, au large du golfe d'Ajaccio et il avait fallu, faute de vent dans les voiles, tirer maintes bordées en vue des montagnes qui émergeaient de la brume. Il ne s'en plaignait pas : il respirait l'odeur de son enfance, il savourait chaque minute en devinant, là-bas, sur le môle, tout le petit peuple qui l'attendait et auquel il allait montrer, dans son bel uniforme d'officier, l'homme qu'il était devenu.

On lui fait fête « à la corse », gravement, sobrement; non seulement les siens, mais presque tous ceux qui viennent à l'arrivée du courrier de France, cet événement. On l'embrasse sans trop rien dire, les pêcheurs, les gardiens du port, les bergers. C'est une vraie bouffée de bonheur : il se retrouve chez lui. Quel ciel ! Quel soleil ! Tout est bleu.

Via Malerba, sa mère est une statue très droite, vêtue de noir pour le restant de ses jours, quoiqu'elle n'ait pas 36 ans; les deux *minana*, elles, sont toutes ratatinées et courbées, surtout la grand-mère Fesch, qui se traîne sur ses béquilles. La bonne nourrice a grossi; les tantes n'ont pas changé. Le plus nouveau, c'est la découverte des petits frères et sœurs nés peu avant ou depuis son départ : Louis, beau comme un enfant de chœur, Jérôme, le dernier, encore marmot, et les deux filles espiègles, Maria-Paoletta et Maria-Nunciata; huit ans, deux ans, six ans et quatre ans, dans cet ordre. Joseph, lui, a beaucoup changé depuis que, rentré par force au bercail, il assume avec conscience son rôle d'aîné : il est devenu un grand garçon un peu bellâtre, sûr de lui, mais tout empreint de l'urbanité du pays. Les deux frères se retrouvent avec un plaisir réel. Ils ne sont plus en compétition, mais alliés pour le meilleur ou le pire de la famille. Un seul des membres de celle-ci n'a pu aller au-devant de Napoléon, c'est son chef, l'Archidiacre Lucien, cloué au lit par des douleurs et tout cassé : la goutte, dit-on, mais ce sont peut-être des rhumatismes articulaires. Depuis juin, ses genoux sont bloqués. Il ne quitte plus sa chambre, d'où il continue à régner sur la tribu avec une vigilance rendue un peu hargneuse par la souffrance. On ne fait même plus son lit : on se borne à découdre le matelas de temps à autre, pour en remuer la laine et les plumes. Il se sert de Joseph un peu comme d'une estafette pour porter ses ordres aux quatre coins des propriétés, et pour en surveiller les métayers; il compte bien que Napoléon en fera autant; mais ce dernier répugne tout de suite au simple rôle d'exécutant, qui convient mieux à la docilité de Joseph. Et il le prouve en s'occupant, d'égal à égal, de la santé de son oncle; il n'y a pas alors un médecin convenable dans toute la Corse, mais lui qui revient de France et a participé au grand brassage des connaissances médicales et pratiques qui se fait sur le continent, il a tout de suite son idée. Il va lui faire avoir une consultation par la poste, et il écrira lui-même, pour cela, à un homme célèbre. Ce genre de démarche n'était pas insolite : beaucoup de provinciaux cultivés y recouraient alors, faute de pouvoir se déplacer pour joindre les grands médecins à cinquante ou cent lieues. Le jeune Gilbert Romme, un des futurs chefs de la Montagne à la Convention, venait ainsi de se faire guérir à distance d'une grave maladie des yeux, par une correspondance entre Riom et Lyon. Napoléon n'hésite pas à frapper très haut : il s'adresse au docteur Tissot, non seulement médecin, mais hygiéniste renommé dans l'Europe entière, et qui dirigeait depuis Lausanne le régime et les soins d'un grand nombre de personnes titrées :

« Monsieur, vous avez passé vos jours à

instruire l'humanité, et votre réputation a passé jusque dans les montagnes de Corse, où l'on se sert peu du médecin... Sans avoir l'honneur d'être connu de vous, n'ayant d'autre titre que l'estime que j'ai conçue pour vos ouvrages, j'ose vous importuner et demander vos conseils pour un de mes oncles, qui a la goutte... »

Cet oncle, il en trace un portrait détaillé pour permettre un diagnostic, il précise qu'il est âgé de 79 ans, ce qui est peut-être bien la cause principale de ses maux, et l'on sent bien à certaines finesses du portrait qu'il ne le porte pas trop dans son cœur et supporte mal son joug :

« ...N'ayant presque pas eu de maladies dans le cours de sa vie, je ne dirai pas comme Fontenelle, qu'il avait les deux grandes qualités pour vivre : bon corps et mauvais cœur; cependant, je crois qu'ayant un penchant pour l'égoïsme, il s'est trouvé dans une situation heureuse qui ne l'a pas mis dans le cas d'en développer toute la force. »

Les réponses de Tissot ne guériront pas le vieil archidiacre de ses infirmités, ni surtout de son avarice, qui aggrave les soucis de madame Lætizia, puisque c'est lui qui tient les cordons de la bourse. L'oncle Lucien restera à la chambre, et les rares écus encore disponibles sont sous son lit. C'est du point de vue du train de maison que Napoléon trouve le plus grand changement depuis la mort de son père : on ne reçoit pratiquement plus personne à dîner; adieu les réceptions des beaux Français! Il n'y a plus, de nouveau, qu'une domestique à la maison, une bonne à trois francs par mois. La *madre*, enfin libérée de ses grossesses continuelles, travaille du matin au soir, et c'est un petit drame quand une vilaine piqûre au doigt l'oblige à ne pas coudre pendant plusieurs semaines et qu'elle doit engager une fille de Toscane pour s'occuper des gosses; mais au pair, sans gages. On vit en autarcie, presque sans recourir à l'argent liquide : des châtaignes, du vin, de l'huile, des bêtes, de la farine qu'on trouve chez soi. Quand on expédie des robes et du linge à Maria-Anna, qui doit être bien habillée à Saint-Cyr, c'est la gamine qui est obligée d'envoyer d'avance les sous nécessaires pour le port. Le café, le sucre, le riz, toutes denrées qu'il faut acheter, sont inconnues à la maison. Et si les Buonaparte mangent parfois du poisson, c'est parce qu'ils se font payer en nature par les pêcheurs la location d'un four banal qui leur appartient.

De ce point de vue, Charles-Marie est irremplaçable : par relations, par ingéniosité, il avait l'art de faire sortir l'argent des pierres. Lui disparu, les siens ont repris une attitude de réserve, voire d'hostilité à l'égard des Français, source de tous biens monnayables, qui les enfonce dans leur fière pauvreté. Dernier coup dur : le gouverneur de Marbeuf, protecteur occasionnel, et que Napoléon comptait bien mettre de nouveau à contribution, trépasse précisément en ce mois de septembre où il remet le pied sur le sol natal. Le clan des Buonaparte, qui s'est un peu aliéné les autres familles par une « collaboration » trop voyante, se replie donc

95

sur lui-même; cela aura au moins l'avantage de faire oublier aux Ajacciens leurs relations poussées avec Marbeuf et son entourage.

Napoléon ne prend pas ces choses au tragique. Il a toujours été entraîné à la frugalité, et la vie qu'on mène via Malerba lui paraît tellement plus belle que celle de l'internat et de la garnison ! Pour une fois, il se détend. Le fait de revenir chez lui métamorphosé, mûri, après une telle mutation le rend enfin prophète en sa famille, sinon en son pays. Le petit Nabulione qu'on grondait tout le temps et qu'on fessait par surprise, maintenant, on l'écoute — on l'admire. Sensation nouvelle et grisante et neuve pour lui, dans ce milieu familial qui demeure l'essentiel à ses yeux. Même si Madame Lætizia le traite encore de haut, et si Joseph fait encore semblant, sans arrogance, de se prendre pour l'aîné qu'il est, les autres, les petits, le regardent un peu comme il regardait son père autrefois : il est celui qui vient d'au-delà de la mer, vêtu autrement que les autres, et s'il leur racontait qu'il a partagé la table du roi, ils le croiraient.

Il n'est plus « le cadet ». Encore si près de l'enfance, il apprend à aimer, de haut en bas, les plus jeunes que lui. Louis trottine tout le temps dans ses jambes et veut lui chiper sa belle épée; Maria-Paoletta, vive, gaie, mutine comme un petit ange, passe son temps à lui faire des farces et ne le quitte pas dans la maison. Alors, il laisse cours lui-même à tout ce qui reste d'enfantillage en lui, et Dieu sait s'il a été contraint à se retenir de ce point de vue ! Cet officier du roi, ce commandant de cinquante « bombardiers » joue au cheval, à quatre pattes dans le jardin touffu avec deux marmots sur le dos. Il leur dispute les tartines de confitures et, le jour de Pâques, retourne avec eux la maison de la cave au grenier pour trouver les œufs durs qu'ils se sont cachés les uns aux autres.

Quand il veut redevenir sérieux, il prend Joseph par le bras et tous deux vont se promener au bord de mer, en discutant interminablement sur l'avenir de la Corse, leurs études, leurs lectures, avec une telle gravité, une telle prise au sérieux d'eux-mêmes que c'est encore un autre aspect de leur enfance qui continue. Joseph, qui n'a pas perdu son temps avec les professeurs de lettres du collège d'Autun, est déjà bien cultivé, plus épris de pensée que d'action, apte aux subtilités de raisonnement et aux disputes intellectuelles. A la fois vaniteux et accommodant, il exige que tous ses frères et sœurs, sauf Napoléon, le vouvoient, mais ne se fâche guère quand ils manquent à cette consigne. « Chef de famille » à 18 ans, il se croit, comme son père, naturellement prédisposé aux honneurs, et cela ne le gênerait guère qu'ils lui viennent des Français. Mais, par indolence et par goût de la tranquillité, il ne se remuera pas pour aller les chercher. Il lui paraîtra tout simple que les honneurs et la fortune viennent à lui. Il est donc à la fois fasciné et un peu en défense à l'égard de ce Napoléon tumultueux qui prêche le réveil du patriotisme corse et dont la parole, brève et chaude, veut toujours trancher, toujours entraîner. Mais, parce que Joseph sait écouter, il est le bon compère pour un Napoléon enfin libre de parler sans précautions et de tenter de préciser l'éveil de sa pensée.

Et puis, il y a les moments délicieux où le cadet ne parle ni ne pense : il va se promener, seul ou avec la bande des frères, des sœurs et des cousins, dans les vignes et les oliviers. Il baptise les paysages du maquis et du golfe avec les phrases entières de Rousseau qu'il sait par cœur. Bientôt, il va composer un *Discours sur le bonheur* où il se proclamera « ému par l'électricité de la nature » et proclamera qu'il « éprouvait la douceur, la mélancolie, le tressaillement qu'inspirent la plupart de ces situations ». Une nuit de grand clair de lune en été, il couchera dans la cabane d'un berger, à même le sol, et se comparera à Antée, le héros mythologique qui reprenait force en étreignant la terre.

Mais bien vite il revient à Joseph, qui est tout de même le seul par ici à son niveau intellectuel. Ensemble, ils fouillent dans la malle bourrée de livres qu'il a ramenée de Paris, plus grosse que celle de ses vêtements. Ils en tirent pêle-mêle Plutarque, Platon, Cicéron, Cornelius Nepos, Tite-Live, Tacite — tous traduits en français, rassurons-nous — et Corneille, Racine, Rousseau, auxquels même Voltaire (celui des tragédies assommantes et déclamatoires) est venu se joindre. Ils font une sorte de concours d'art dramatique en jouant à s'éblouir l'un l'autre. Joseph a la plus belle voix et balance mieux les périodes, mais Napoléon a la meilleure mémoire. Ce dernier gâche quand même un peu les bons moments en s'obstinant à tout ramener finalement à l'histoire de la Corse.

Il a décidé de l'écrire, et parcourt le pays au-tour d'Ajaccio pour chercher les survivants des guerres de l'indépendance, les compagnons de Paoli, et leur demander leurs témoignages sur cet âge d'or de la Corse libre qui reste à l'horizon de sa pensée. Il veut même rafler, partout où c'est possible, les manuscrits sur l'histoire antique de la Corse.

Là, première déception : sa quête est le plus souvent mal comprise, ne fût-ce que parce qu'il a oublié le patois corse et qu'il aborde ces braves gens rudes et murés dans leurs coutumes en leur déclamant des tirades sur une Corse revue et corrigée par son séjour en France. Pour un peu, il leur réciterait du Rousseau, qui est comme de l'hébreu pour eux. Paoli, le Babbo, c'est quand même une vieille histoire pour les vieux — et les jeunes comme Napoléon la refont et la modèlent à leur image, plus paolistes que Paoli lui-même, qui est maintenant bien tran-quille dans son exil doré en Angleterre.

Et puis, qu'est-ce que c'est que ce petit bon-homme qui vient mouliner des bras et faire de grandes phrases sur la liberté de la Corse dans la langue et dans l'uniforme des Français ? Un Buonaparte — c'est beaucoup dire pour ceux qui depuis quinze ans, à l'intérieur des vallées, ont appris que ce nom-là était marié avec celui de Marbeuf. On l'écoute poliment, on se tait, on hoche la tête, et on ne lui donne guère de souvenirs héroïques. Napoléon éprouve un peu le même choc qu'un Gaulois qui aurait fait ses études à Rome et serait revenu parler de Vercingétorix aux Arvernes, quinze ans après Gergovie. Le décalage auquel il se heurte, c'est celui de sa culture, qui est devenue française, qu'il le veuille ou non. Il étonne et il détonne dans les *pievi;* et lui, sans vouloir se l'avouer, il s'y ennuie un peu. Il se trouvait encore étranger à Valence; il est déjà, en Corse, un « francisé ». Il ne veut pas en convenir, et ne se rend pas compte que c'est lui qui a perdu la clef du langage de ses compatriotes. Déprimé, furieux, il écrit un texte vengeur où il les cloue au pilori :

« Mes compatriotes chargés de chaînes baisent en tremblant la main qui les opprime. Ce ne sont plus ces braves Corses qu'un héros animait de ses vertus, ennemis des tyrans, du luxe, des vils courtisans.

« Français ! non contents de nous avoir ravi tout ce que nous chérissions, vous avez encore corrompu nos cœurs... Quand la patrie n'est plus, un bon patriote doit mourir. »

Paroles piquantes sous la plume d'un boursier du roi, officier au régiment de La Fère et fils de Charles-Marie... Mais il n'a aucune conscience de sa mauvaise foi, et s'enferme dans un orgueil naïf qui résout toutes les contradictions : il en veut à ces vieux Corses qui n'acceptent pas la façon dont il entend leur enseigner leur pays.

« ... La vie m'est à charge, parce que les hommes avec qui je vis ont des mœurs aussi éloignées des miennes que la clarté de la lune diffère de celle du soleil... »

Le soleil, c'est lui; il commence à se faire à cette idée-là. Mais sa déception n'est encore que superficielle. Il ne perd pas vraiment l'espoir, encore confus, d'être l'évangéliste de la Corse ressuscitée, et recommence à élaborer des théories et à faire des calculs quand il s'est soulagé par quelques tirades vengeresses. Et comme il est un enfant du XVIIIe siècle, son évangile est déjà tout imprégné d'économisme : il se rend compte, et il a raison, que rien ne peut changer en Corse tant que les conditions de vie matérielles du pays n'évolueront pas. Cette île perdue hors des circuits courants de la navigation méditerranéenne, sans routes, sans fabriques, sans plan de développement industriel et agricole, ne peut que végéter. Il prend de cela une conscience d'autant plus aiguë qu'il lui faut bien, passé les premiers mois de récréation, contribuer à la lutte de la famille pour la vie, et que c'est justement à travers les difficultés des Buonaparte pour implanter de nouvelles méthodes de culture et de nouveaux produits qu'il voit bien que la véritable souveraine de la Corse, c'est la routine.

A Bastia, un sieur Brueys est en train de faire fortune et de remuer le pays parce qu'à partir d'une vaste plantation de mûriers, arbres inconnus en Corse jusque-là, il a monté des métiers de filature, fabriqué des bas de soie, implanté des teintureries et qu'il occupe déjà deux cents ouvriers. Napoléon s'enflamme pour la bonne cause de l'importation des mûriers, qu'il voudrait voir pousser sur leurs terres, et tente de convertir les siens aux magies des plantations rationnelles et aux dernières méthodes de... l'agriculture française. Il se heurte tout net à l'indignation de l'archidiacre Lucien, qui lève les bras au ciel en le traitant de *novatore* — et c'est une injure dans sa bouche. Non seulement l'oncle refuse le moindre louis pour acheter des mûriers, mais il ne veut même pas faire réparer la maison qu'ils ont hors d'Ajaccio, aux Milelli, et qui pourrait servir de ferme modèle.

Napoléon, aidé de Joseph, qui voit bien que c'est leur intérêt à tous, arrache du moins la permission de faire greffer des mûriers s'il obtient pour cela une subvention de trois mille cinquante livres (à peu près dix mille francs 1969). Et il reprend le travail de Sisyphe que menait son père : il assiège les bureaux du gouverneur de la Corse, pour obtenir ce pactole qui les tirerait d'affaire et aussi affirmerait leur position en faisant d'eux les Brueys d'Ajaccio. D'ailleurs, l'administration française leur doit beaucoup plus que cela, puisque la mort de son père a suspendu le versement d'autres subventions obtenues déjà par Charles-Marie pour des entreprises semblables.

Mais le temps de Marbeuf est bien passé. L'intendant de la Corse, c'est maintenant un monsieur de la Guillaumye, qui se signale par son indifférence et son apathie. Quand les Buonaparte le contraignent à une réponse sous les salves de leurs pétitions, il se contente de répondre qu'il lui faut maintenant l'autorisation du contrôleur général, c'est-à-dire du ministre des Finances, pour débloquer ces crédits-là. Ce n'est peut-être pas un mensonge : la crise du Trésor royal va toujours s'aggravant, et du moment que les Corses se tiennent tranquilles, on ne voit pas à Versailles, pourquoi on leur donnerait de l'argent — qu'on n'a pas — pour bouleverser leurs habitudes.

Mais au fait, le contrôleur des finances? Cet homme qui est au moins aussi puissant que le roi, puisqu'il détient les caisses du royaume? Napoléon le connaît ! Ce n'est plus le prodigue Calonne, c'est l'archevêque de Toulouse, Loménie de Brienne, un frère du seigneur fastueux dont le beau château tout neuf a dominé de son décor les cinq premières années de Napoléon en France. Il se souvient de l'avoir entrevu de loin, lors d'une des grandes fêtes d'août où les cadets de Brienne étaient autorisés à se mêler aux villageois qui visitaient le parc et buvaient aux fontaines de vin. Comme il était beau dans sa robe pourpre ! Comme il savait bien bénir tout le monde d'un geste inimitable de la main, majestueux et bienveillant ! Toute la fortune de la France est maintenant suspendue à cette bénédiction-là. En digne fils de son père, Napoléon se persuade qu'il lui suffira d'invoquer son séjour à Brienne pour que l'archevêque-ministre consente à le recevoir et à bousculer les bureaux en sa faveur. Il lui prend comme une envie, sous ce prétexte, de revoir Paris, de connaître Versailles. Déjà, peut-être, une toute petite pointe d'ennui en Corse, après un an de séjour. En effet, il avait obtenu facilement un renouvellement, au printemps, de son congé de six mois, en « tirant au flanc » sans le moindre scrupule : un médecin et un chirurgien d'Ajaccio lui avaient délivré des certificats de complaisance. Son état de santé « ne lui permettait pas de rejoindre sa garnison », toujours à Douai.

...Mais son état de santé lui permet, le 12 septembre, de s'embarquer pour la France, non sans avoir soutiré à l'archidiacre les fonds nécessaires à son voyage. Miracle? Affirmation, plutôt, de l'ascendant qu'il a pris sur les siens en un an. Ils ont commencé à ne plus discuter ses décisions. Celle-ci était d'ailleurs fortement motivé : on avait déjà pris l'habitude en France, dans les provinces les plus reculées, de tenter d'arracher à Paris toute décision importante — et, à ce moment-là, Paris, cela voulait dire Versailles.

Il part décidé à revenir au plus tôt, recentré sur la Corse où il souhaite de plus en plus jouer sa vie, malgré ses déceptions, et comptant bien faire de ce voyage en France un séjour d'affaires et de distraction, pas autre chose. Il est habitué aux hasards des chemins et des rivières et regarde moins la route à mesure qu'il remonte du sud au nord, vers Douai où il lui faut bien passer d'abord quelques jours au régiment pour régulariser sa situation. On le libère d'autant plus facilement que le danger de guerre avec l'Autriche a disparu, et qu'un lieutenant de plus ou de moins n'est pas une grande affaire dans une garnison qui tourne à vide. Tout à ses projets, il accorde peu d'attention à la petite ville, aux remparts, ne reprend pratiquement pas le service et se hâte de quitter ces Flandres où l'on grelotte déjà. Il arrive à Paris le 9 novembre 1787 et descend à l'hôtel de Cherbourg, rue du Four Saint-Honoré.

Pour la première fois de sa vie, il est seul et libre dans la grand-ville, à dix-huit ans. Personne pour s'occuper de ce qu'il dit, de ce qu'il fait. Même plus le regard, sinon les reproches, de madame Lætizia. Il n'est limité que par la minceur de sa bourse, qui fond rapidement entre ses doigts. Le temps de cette bouffée de double défoulement, celui du jeune homme, celui du provincial à Paris, lui est compté; il le sait, et c'est sans doute poussé par cette pensée qu'il se laisse presque tout de suite attirer, comme un papillon de nuit happé par l'attraction d'une lampe, dans le coin le plus malsain de la capitale : les jardins du Palais-Royal. Le duc d'Orléans, propriétaire du lieu, les a ouverts depuis peu au public en les enlaidissant avec toutes sortes de baraques où l'on jouait gros jeu, où l'on buvait, où l'on achetait n'importe quoi, les femmes y compris. Chaque soir, tout ce que Paris comptait de fêtards, de soldats en goguettes, d'aventuriers, d'aventurières et de vieillards vicieux s'y côtoyait dans un brassage de classes et de costumes qui accentuaient l'étrangeté de l'endroit. Sous les arcades vivement éclairées par les nouvelles lampes à huile — les quinquets —, c'était une bousculade équivoque et chatoyante de couleurs, d'odeurs, de clameurs parfois.

Il faisait très froid, en ce 22 novembre où le jeune Buonaparte, comme le premier conscrit venu, et parce qu'il obéit à l'obsession des propos de chambrée, suit la foule, s'arrête au seuil des portes de fer qui ouvrent les galeries et, moutonnier pour une fois, se laisse arrêter par la première fille venue. De la femme, il n'avait connu jusque-là que la rigoureuse vertu de sa mère et des autres femmes de sa famille, puis une saison à Valence, le gracieux bavardage de la maison des Colombier. Il va subir un choc à cette rencontre qui lui révèle tristement une nouvelle forme de solitude : celle du garçon en mal d'amour vrai, et qui vient de rencontrer le contraire.

Vite, agir pour se secouer, oublier ! Il se plonge dans les démarches, prend chaque jour ces drôles de petits cabriolets qu'on appelait « les pots de chambre » et qui conduisaient gratuitement les voyageurs entre Paris et Versailles quand on pouvait attraper ce cadeau du roi. Il perd près d'une semaine à errer de bureau en bureau avant de s'apercevoir que les dossiers concernant les plantations de mûriers en Corse, aussi bien celles des Buonaparte que les autres, ont tout simplement disparu. Il n'aperçoit que de loin le train somptueux de la plus magnifique monarchie du monde, rythmé par les tambours et les fifres des gardes bleu et or, des mousquetaires rouge, noir et gris. Il s'aperçoit, en attendant interminablement au fil des antichambres toutes pareilles, dans les grands hôtels de pierre jaune où le temps semble arrêté, que Versailles n'est qu'un vaste champ de désordre et de caprices ouvert à des milliers de démarches comme la sienne, puisque tout s'y gagne par protection. Et il se sent à nouveau tout petit à côté des grands noms et des belles dames qui, comme lui, attendent le bon plaisir de Monseigneur de Brienne. Celui-ci, pourtant, le reçoit enfin quelques minutes. Le prélat superbe dont il avait gardé le souvenir n'est plus qu'un homme hagard et distrait, écrasé par un fardeau trop lourd pour lui, et qui sent monter l'orage à l'horizon. Il accepte en paroles, pour se débarrasser de ce maigre solliciteur, de payer les études de Lucien au séminaire d'Aix. Quant aux pépinières de mûriers, mais oui, bien sûr, on verra, mon jeune ami : mais il faudrait d'abord que Napoléon remette la main sur le dossier perdu qui doit se trouver en Corse. Il est venu pour rien, en somme, d'autant plus qu'il sait que Lucien, lui non plus, ne tient pas à être prêtre.

Il est écœuré; c'est ça, Paris : le Palais-Royal? C'est ça, Versailles : les queues de solliciteurs dans les bureaux où l'on perd tout? Une nausée, vraiment, sous l'effet de cette double déception. Dans cette vie de bouchon ballotté sur les vagues qu'il inaugure entre la France et la Corse, l'une et l'autre commencent à ne lui sembler vraiment belles que de loin. Il y a trois mois, il était assez content de quitter Ajaccio pour venir faire l'important et se distraire un peu lourdement en métropole; maintenant, toute la grisaille du Paris de fin novembre chasse sa pensée vers la patrie. Et, parce que, de toute sa volonté, il veut marquer ce premier passage libre à Paris par autre chose que des expériences sordides, c'est là, dans cette chambre minable d'un petit hôtel sombre tout en hauteur, en rentrant d'avoir soupé pour six sous *Aux Trois Bornes*, rue de Valois, qu'il entreprend, le 27 novembre à onze heures du soir, la rédaction d'une *Histoire de la Corse* qu'il ne finira jamais. Elle revêt la forme originale d'une série de lettres qu'il adresse à l'un des papes de la littérature du moment, l'abbé Raynal. Elle prend dès les premières lignes l'allure d'un pamphlet bien plus que d'un livre d'histoire. Assez peu de faits; de longues déclamations, surtout contre les Génois, les précédents occupants de son pays, mais où transparaît aisément, à l'égard des Français aussi, la rancune essentielle de ceux qui s'estiment « colonisés » :

« A Gênes, le répertoire des gens aimables, des conteurs de bons mots, de ces personnes qui tiennent toujours le haut bout dans les sociétés, n'est rempli que d'aventures où le Corse est toujours le battu et le moqué. Combien avez-vous gagné? Nous avez-vous laissé quelque chose à prendre? demandaient ceux qui allaient en Corse à ceux qui étaient de retour. »

Mirabeau écrivait en cette même année, sortant de prison : « Après l'amour, je crois que c'est l'indignation qui donne de l'esprit. » Faute d'amour, c'est donc l'indignation qui est la première source d'inspiration à la naissance de cet écrivain en germe qui s'appelle Napoléon de Buonaparte et qui, l'ébauche de son manuscrit sous le bras, retourne en Corse après n'avoir passé que trois mois en France, où il a du moins obtenu des bureaux de la Guerre une nouvelle prolongation de congé pour six mois.

On a grand besoin de lui à la maison : Joseph est à Pise, en Italie, pour décrocher un vague diplôme de droit romain qui lui permettra de se prétendre avocat. L'oncle Lucien, de plus en plus tordu et noué sur son lit de douleurs, se venge de celles-ci en tourmentant Madame

Lætizia du mieux qu'il peut. Fesch est revenu d'Aix dans une belle soutane toute neuve, ayant terminé ses études de théologie. Il exerce de petites fonctions à la cathédrale, mais surtout sert, lui aussi, de majordome à l'archidiacre. Les difficultés matérielles ont encore augmenté : toujours à cause du besoin d'argent liquide pour les trois enfants maintenant sur le continent: Maria-Anna à Saint-Cyr, Lucien à Aix et Joseph à Pise. Il faut convaincre l'oncle de vendre quelques pièces des grands troupeaux de moutons ou de chèvres qu'ils possèdent, et c'est une scène à chaque fois. Napoléon reprend avec fureur ses démarches pour les plantations de mûriers auprès de l'intendant La Guillaumye, puisque Versailles le renvoie à lui. Tout le printemps le verra plongé dans des comptes d'apothicaire à propos de pieds de mûriers ou d'assèchement de salines. Pauvre écrivain de la Corse, empêché de continuer sa grande œuvre parce qu'il doit presque chaque jour écrire à La Guillaumye que « Mesdames Angèle-Maria Pietra-Santa, Pietra-Costa, Monsieur Barrois et plusieurs autres personnes désirent avoir des mûriers de la pépinière projetée... » ou bien que « ayant pris la liberté de faire déjà creuser les fosses, la saison un peu avancée ne devrait pas empêcher Son Excellence de délivrer des ordonnances aux habitants des marines, l'air étant plus tempéré et le terrain plus arrosé »! Des pages et des pages, des mois et des mois... Il s'énerve; il perd son temps; il s'aigrit, et Joseph lui manque d'autant plus qu'il ne peut s'épancher auprès de personne. Ce séjour-là en Corse est moins gai que l'autre. La fraîcheur des retrouvailles est épuisée; il doit endosser, auprès des petits, son rôle d'aîné par procuration, et leur passe moins de familiarités. A Paris, et déjà à Valence, il avait commencé à prendre conscience de sa propre valeur, des virtualités encore confuses où cette valeur pourrait s'exprimer de façon originale : la littérature, peut-être, ou la politique (locale, bien sûr, celle d'Ajaccio), à défaut de l'armée? Mais il s'enlise dans des histoires de paysans ! Puisqu'il faut bien polariser une rancune, la sienne est plus forte que jamais à l'égard de ceux qui étaient les croquemitaines de son enfance, qui ont confisqué sa jeunesse et ne veulent maintenant rien entendre de lui : les Français, toujours les Français.

Or, ces Français, il est bien content quand même de les fréquenter, de les retrouver dans le cadre des rencontres obligatoires pour un jeune officier, en marge de la garnison d'Ajaccio. Ce n'est pas avec minana Fesch ou la bonne Gertrude qu'il peut s'entretenir des faits du jour, de la banqueroute royale à l'horizon, de la convocation imminente des États Généraux ou des voyages de La Pérouse. Il les fréquente donc, mais aussi pour les provoquer. Un jeune lieutenant presque de son âge, Louis de Roman, en restera choqué pour le restant de ses jours :

« En 1788, Monsieur Buonaparte, nommé depuis peu lieutenant d'artillerie, arriva en Corse pour y passer son semestre. Il était notre camarade. Il vint nous voir à ce titre... Il était un peu plus jeune que moi. Sa figure ne me revint pas du tout, son caractère encore moins, et son esprit était si sec et si sentencieux pour un jeune homme de son âge, un officier français, que je n'eus jamais la pensée d'en faire mon ami. Mes connaissances étaient trop peu étendues sur les gouvernements anciens et modernes pour discuter avec lui sur ce sujet favori de ses conversations... Mes camarades n'y voyaient, comme moi, que du ridicule et du pédantisme... Un certain jour, il argumenta si fort sur le droit des nations en général, y faisant même figurer la sienne ! que nous n'en revînmes pas d'étonnement. Il nous dit même que l'Intendant ne connaissait pas les Corses, et qu'il verrait ce qu'ils peuvent. Cette parole échappée nous donna la mesure de son caractère. Un de nos camarades lui répondit : « Est-ce que vous useriez de votre épée contre le représentant du Roi ?» Il ne répondit rien... Nous nous séparâmes froidement. »

En ces mêmes semaines, quand il a le temps de se remettre à écrire. il ne cache pas sa sympathie pour les Anglais, qui ont protégé Paoli et qui l'hébergent. Il travaille à un petit roman, *La Nouvelle Corse*, dont le héros principal traite les Français de « tigres, de monstres et de brigands».

...Mais il n'est pas officier britannique, et c'est quand même l'armée des tigres et des monstres qu'il lui faut bien réintégrer à la fin de mai 1788 quand, Joseph revenu de Pise, la famille a moins besoin de lui, et qu'il n'y a vraiment plus aucune raison valable de ne plus regagner son régiment, après vingt et un mois d'absence. Cela lui est un peu moins désagréable parce que La Fère-artillerie a quitté Douai pour

Auxonne, dans cette Bourgogne qu'il connaît déjà, et qu'il sait maintenant combien il est facile d'obtenir des congés prolongés. En embrassant les siens, il leur promet d'être promptement de retour.

Auxonne. Une petite ville maussade perdue dans les marais entretenus en permanence par les fantaisies de la Saône qui déborde chaque année tout autour. Le lieutenant Buonaparte y retrouve un régiment qui n'a guère changé, ni en hommes ni en officiers. Il loge à la caserne même, dans le pavillon sud où on loue des chambres à bas prix aux officiers subalternes. C'est là qu'il éprouve, dans le quotidien, combien la situation de la famille s'est resserrée depuis son séjour à Valence. Pour pouvoir envoyer à sa mère quelques louis par mois, il choisit la chambre la moins chère, une sorte de cellule avec un bois de lit, une paillasse, une paire de draps, deux serviettes et des chaises de paille. Il va le moins souvent possible partager la table de ses camarades chez le traiteur Dumont, et se met d'accord avec une vieille paysanne qui le nourrit principalement de « gaudes », de la bouillie de maïs séchée. Et puis, chez elle, il peut venir quand il veut et manger sans bavarder, en dix minutes. Il commence à mal supporter les repas prolongés et à se détraquer l'estomac en absorbant n'importe quoi sans mâcher, à toute vitesse. « Pour ne pas faire tache parmi mes camarades, je vivais comme un ours, toujours seul dans ma petite chambre avec mes livres, mes seuls amis... Quand, à force d'abstinence j'avais amassé deux écus de six livres, je m'acheminais avec une joie d'enfant vers la boutique d'un libraire qui demeurait près de l'évêché. Souvent, j'allais visiter ses rayons avec le péché d'envie. Je « convoitais » longtemps avant que ma bourse me permît d'acheter. Telles ont été les joies et les débauches de ma jeunesse. » (*Mémorial*).

Les livres n'étaient pas tout à fait vraiment ses seuls amis ; il avait retrouvé des Mazis avec plaisir, et va même une fois faire en sa compagnie une longue excursion à pied jusqu'au Creusot, où ils visitent avec curiosité les bâtiments des hauts fourneaux tout neufs. Il est quand même heureux de pouvoir de temps en temps se distraire avec la petite bande des autres lieutenants, Ville-sur-Arce, Jullien de Bidon, Rolland de Villarceaux. Il peut difficilement se passer d'un auditoire, quand ses idées bouillonnent par trop. Et il s'est si bien creusé, mûri, approfondi à force de lectures et de méditations pendant ces deux années de sa vie ballottée, qu'il en impose maintenant, sous l'aspect encore burlesque, par une vibration intérieure, une conviction, un sérieux, qui tranchent sur les propos frivoles habituels au mess. Ses camarades se moquent moins de lui, mais leur attention ne va pas très loin, parce qu'il finit souvent par les ennuyer.

L'essentiel d'Auxonne, pour lui, c'est le perfectionnement. C'est ici qu'il devient vraiment militaire, et surtout artilleur, jusqu'au fond de lui-même. Après tout, jusqu'à Auxonne, il avait été collégien, cadet, stagiaire à Valence, et nous l'avons vu ensuite tourner le dos à l'armée en jouant au propriétaire terrien ou à l'essayiste. Or, pour échapper enfin aux impasses successives où il s'est débattu, Auxonne lui offre une petite chance : le Roi vient d'en faire sa meilleure école d'artillerie. Le commandant de place, baron de La Porte du Theil, est un des plus capables de France; les professeurs sont des savants mathématiciens triés sur le volet. Ils sont heureux, en dehors du service, de réunir de petits groupes de volontaires, parmi lesquels Napoléon se distingue, et de les emmener souvent au polygone de tir pour y faire des applications de géométrie à la levée des plans et au tracé des fortifications de campagne. Avidement, le jeune Buonaparte se remplit les yeux et la mémoire de ces données qui vont devenir celles de la guerre de demain, justement parce que la multiplication des hauts fourneaux et l'industrialisation croissante vont munir les soldats d'une artillerie dix fois plus formidable que celle qui existait jusqu'à présent. Certes, on ne parle plus de guerre en ce moment, et bien plutôt d'émeutes, de famines ou de faillites, mais qui sait si demain ?... Or, demain, c'est comme ça, et pas autrement qu'on fera brèche dans les villes fortes, qu'on enfoncera les carrés d'infanterie, qu'on brisera les charges de cavalerie ou qu'au contraire on dressera en quelques heures des casemates improvisées, capables d'arrêter une invasion : en combinant la magie des épures géométriques avec la puissance de ces monstres de bronze et de cuivre, une terrible réserve de tonnerre ambulant qu'on traînera partout avec soi.

Napoléon se passionne tant et si bien pour tout cela qu'on le désigne pour faire partie d'une commission où il discute avec de graves ingénieurs du problème crucial de l'artillerie en pleine évolution : comment garnir de gros canons avec des projectiles de calibre plus petit ? Il arrive si souvent, en campagne, qu'on n'ait pas sous la main les boulets correspondant exactement aux pièces ! Le petit lieutenant se démène tellement sur le terrain qu'il fait la preuve qu'on peut, grâce à certaines précautions, faire usage de bombes de tous calibres avec des mortiers de toutes grandeurs. Sa lettre à l'oncle Fesch, ensuite, a le ton du triomphe. Enfin, enfin, on le prend au sérieux !

« Vous saurez, mon cher oncle, que le général d'ici m'a pris en grande considération au point de me charger de construire au polygone plusieurs ouvrages qui exigeaient de grands calculs et, pendant dix jours, matin et soir, à la tête de deux cents hommes, j'ai été occupé. Cette marque inouïe de faveur a un peu irrité contre moi les capitaines... »

A Auxonne, Napoléon a vraiment appris son métier.

C'est aussi l'époque de la grande flambée intellectuelle qui avoisine les vingt ans, quand les circonstances le permettent. Dans le silence de la petite chambre, enfin, sa pensée se dégage de la Corse, oublie les rivages et les schémas de l'enfance — pour un moment du moins — court à travers l'Europe, le monde, les temps. C'est une indigestion, une orgie de lectures et de notes prises au vol sur n'importe quel volume lui tombant sous la main. Il annote une *Histoire d'Angleterre* en dix tomes, une *Histoire ancienne* en vingt-sept, il étudie les religions, les dynasties, l'économie, le commerce, les voyages — à propos desquels il rédige une petite note sur « Sainte-Hélène, petite île ». Marmontel, Mirabeau, Buffon, rejoignent Rousseau dans ses carnets. Et quand il veut retrouver « sa dimension romantique », il se plonge avec délices dans le grand succès du jour : *Paul et Virginie*. Le bon gros des Mazis en est ébahi :

— Eh quoi, n'êtes-vous pas composé comme les autres hommes ?... A quoi aboutit une science indigeste ? Qu'ai-je à faire de ce qui s'est passé il y a mille ans ?

Il est évident que Napoléon n'avait pas idée de lui répondre : « Ça sert à devenir empereur. » Mais c'est pourtant ici aussi, toujours à Auxonne, qu'on assiste à l'explosion de la qualité, exceptionnelle à ce degré, qui va faire de lui un des plus célèbres parmi les hommes : une prodigieuse curiosité d'esprit.


Une émeute à proximité vient brutalement l'arracher à ses études. La Bourgogne remue. Tiens, mais ! Nous sommes en avril 1789. Les États Généraux vont se réunir à Versailles dans un mois. Tout le monde pressent qu'il ne s'agit plus seulement de remplir les caisses du roi, mais de bâtir un nouveau monde. Partis de Rennes en janvier, après un des hivers les plus épouvantables qu'on ait jamais vus, des centaines de petits soulèvements en province précèdent et annoncent la prise de la Bastille. Ils sont toujours provoqués par l'affrontement, maintenant à vif, entre les privilégiés et ceux qui n'en peuvent plus. L'une des premières petites vagues de la Révolution vient donc toucher Napoléon ... pour une affaire de vin et une querelle de moines, ce qui était tout à fait normal en Bourgogne. Les trappistes de l'ordre de Cîteaux cultivaient les vignobles bien connus de Clos-Vougeot. Le vin savoureux, fruit du travail acharné de centaines de moines, était alors réservé à la consommation des seigneurs locaux et de l'abbé de Clos-Vougeot. Dans la foulée de la rédaction des cahiers de doléances qui se faisait alors partout, les moines demandent, humblement d'abord, puis avec insistance, qu'on leur attribue une part de la récolte et qu'ils soient associés à la gestion de cette exploitation très riche. Le supérieur refuse; les moines se soulèvent, s'emparent des clefs des magasins et occupent les bâtiments de Clos-Vougeot. Les pauvres s'agitaient six mois trop tôt. La seule règle qui régit encore la France, c'est le fait du prince. Le père abbé fait appel aux troupes du roi pour mater les rebelles assoiffés, et le lieutenant Buonaparte est désigné pour se rendre à Seurre, la ville la plus proche, avec une centaine d'hommes.

Ça ne traîne pas; il arrive dans la petite ville en ébullition, où la querelle des moines devenait celle du peuple, qui venait de s'en prendre à des accapareurs de blé. Il poste ses canonniers dans la rue principale, monte à cheval et crie :

— Que les honnêtes gens rentrent chez eux ! Je ne tire que sur la canaille.

Panique; les rues se vident; Seurre rentre dans l'ordre. Du même mouvement, Napoléon se rend à l'abbaye où il fait enfermer en cellule quelques-uns des moines les plus belliqueux et rend à l'abbé les clefs des celliers. Pour veiller à ce qu'il n'y ait pas de récidive, il cantonne à Seurre avec ses hommes et y restera près de deux mois. Le 15 juillet, il est de retour à Auxonne, d'où il écrit à Fesch : « Je reçois dans le moment des nouvelles de Paris... Elles sont étonnantes et faites pour singulièrement alarmer. » C'est pourtant le même homme qui était en train de rédiger des pages entières pour saluer la liberté, et surtout ce qui le séduisait dans les idées nouvelles : la promesse de l'égalité. Mais ces histoires de moines qui vont aux tonneaux, de greniers pillés et même de Parisiens en armes contre une prison d'État, cela le heurte profondément. Corse, noble, soldat, il est un homme d'ordre et vient de le prouver.

Dans l'élan des cœurs et des esprits, il ne s'oublie pas. Égoïste de nature et par le penchant de cette éducation centrée sur la réussite individuelle, il cherche seulement à saisir ce que la Révolution peut lui apporter à lui. Non sans excitation, il voit crouler les portes qui lui barraient la carrière. Il pense déjà à foncer pour accomplir celle-ci par une merveilleuse combinaison de l'ordre et de l'égalité. Et où donc cela pourrait-il se faire rapidement sinon dans son champ d'élection, cette Corse qui va elle-même, il n'en doute pas, retrouver le chemin de la liberté ? Une radieuse nouvelle lui parvient en août : Paoli est sur le point de s'embarquer en Angleterre pour regagner la patrie. Napoléon n'hésite pas : il demande un congé pour le rejoindre là-bas.

# En Corse : l'échec

*Ajaccio-Bastia-Auxonne-Valence-*
*Paris-La Maddalena : trois ans et huit mois*
*(septembre 1789-juin 1793)*

> « Plus les Bonaparte se présen-
> tent aux paolistes pour intelligents
> et capables, plus ils font d'efforts,
> plus ils se remuent, plus ils
> deviennent suspects. »
>
> (Frédéric Masson)

Le 22 juin 1789, Napoléon écrit pour la première fois à Paoli :

« Général, je naquis quand la patrie périssait. Trente mille Français, vomis sur nos côtes, noyant le trône (*sic*) de la liberté dans les flots de sang, tel fut le spectacle odieux qui vint le premier frapper mes regards. Les cris du mourant, les gémissements de l'opprimé, les larmes du désespoir environnèrent mon berceau dès ma naissance. Vous quittâtes notre île, et, avec vous, disparut l'espérance du bonheur. »

Il se garde bien de lui révéler qu'au moment où il tient la plume, il fait tous les jours l'exercice en Bourgogne à la tête de ses soldats (français) pour en imposer aux émeutiers (français) qui menacent cette fois.... le trône de Louis XVI. Le paradoxe de sa situation le gêne de moins en moins : en fait, il est comme distrait des formidables événements de France par le rêve corse qu'il recommence à nourrir sans frein. Paoli de retour ! Tous les récits de son enfance reviennent l'arracher au présent et raniment en lui « l'espérance du bonheur ». Il va se précipiter là-bas aux pieds du Babbo triomphant, faire immédiatement éclater sa valeur, son patriotisme, son ascendant sur les foules. De lieutenant en second d'un régiment français, il deviendra d'un seul coup premier lieutenant et héritier moral du Père de sa patrie...

Paoli ne répond pas. Il est encore en Angleterre pour un bout de temps, car il faut une loi française en bonne et due forme pour l'autoriser, ainsi que ses autres amis proscrits, à rentrer dans son pays. Mais Napoléon n'en prépare pas moins ses bagages : tout ce qui se passe en France le déconcerte du point de vue français et ne l'enchante que du point de vue corse. Il est d'ailleurs déçu parce qu'il ne trouve pas d'éditeur pour le début de ses *Lettres sur la Corse*, qu'il a bien sûr dédiées à l'homme du jour, Necker. Il les a soumises à son ancien professeur de belles-lettres à Brienne, le père Dupuy, et n'en a pas récolté trop de compliments : « Les figures, les saillies, les grands mots, et les déclamations surtout, tout cela, mon ami, sent encore un peu trop le jeune homme... De grâce, de la discrétion ! de la discrétion ! »

La Révolution ne lui apporte donc rien sur le plan littéraire; et, du côté de son métier, c'est bien pire : les plus sales corvées. Ce ne sont plus des moines qu'il s'agit de remettre à la raison, mais les habitants d'Auxonne. Apprenant la chute de la Bastille, ceux-ci se forment en colonne et vont, le 19 juillet, saccager les bureaux des receveurs d'impôts. Tout y passe : la gabelle, les tailles, les octrois, et même le bureau des actes notariés. Le colonel et tous les officiers doivent cette fois s'employer au retour de l'ordre, d'autant plus que leurs hommes sont plutôt du côté du peuple. Un mois plus tard le 16 août, les soldats se mutinent même carrément au retour de ce polygone où Napoléon manœuvrait avec tant de plaisir six mois plus tôt : ils exigent du colonel la répartition entre eux de la « masse noire », autrement dit la caisse secrète du régiment; quand ils l'ont obtenue, ils se répandent dans les cabarets de la ville en obligeant leurs officiers à trinquer avec eux. Napoléon en est tout hérissé. Des soldats qui se révoltent? Ces gens qu'il faisait manœuvrer par ordres brefs, et dont la vie personnelle lui était totalement étrangère, les voilà qui se mêlent de réformes avec les nobles et les bourgeois? Il a l'impression physique que la France se dissout. Raison de plus pour se hâter d'aller en Corse; là-bas, avec Paoli, on va au contraire faire du solide.

Le malheur est que, quand il débarque à Ajaccio, en septembre 1789, après avoir obtenu encore un semestre de congé, il trouve une situation fort peu claire et tombe dans une marmite en ébullition, comme dans n'importe quelle ville de France. Faute de Paoli, toujours à Londres, autour duquel l'union aurait pu se faire, les querelles entre partisans et adversaires de la Révolution se compliquent des disputes éternelles entre les clans. A l'intérieur, le peuple, encore endormi, attend que ses chefs lui disent ce qu'il faut faire. Or ceux-ci sont, en gros, divisés en trois partis : les royalistes, liés à la présence de l'ancienne administration française; les révolutionnaires, en rapport avec les clubs et les sociétés de pensées « avancées » du continent; les nationalistes, qui attendent Paoli en ne songeant qu'à une chose ; l'indépendance pure et simple de l'île. Ces divisions se répercutaient jusque dans la représentation de la Corse à l'Assemblée nationale, en ces jours où elle achevait la rédaction de la Constitution : et député Buttafuoco était un ardent royaliste, lauquel s'opposait le rude Saliceti, déjà suspect d'idées républicaines. Sur place, on n'avait pas tardé à se colleter. Le 15 août, jour des vingt ans de Napoléon, les Ajacciens s'en étaient pris à leur évêque, Monseigneur Doria, qui tenait close la cathédrale depuis douze ans, sous prétexte de réparations; la procession en l'honneur de Notre-Dame s'était, par une chaleur torride, transformée en un cortège d'émeutiers qui avaient enfoncé les portes de l'édifice et avaient improvisé à l'intérieur des vêpres d'autant moins catholiques qu'entre-temps on avait manqué écharper l'évêque et qu'on l'avait attaché à son trône.

Napoléon, à son arrivée, peut un instant croire qu'il va vraiment jouer un rôle important : les messagers de France sont très rares, on est avide de nouvelles, et il est maintenant écouté de tous avec attention. La maison des Buonaparte se transforme presque chaque soir en salle de réunion, où les moins zélés ne sont pas Joseph et Lucien, qui brûlent aussi de jouer un rôle. Napoléon pencherait, au fond du cœur pour le parti paoliste, mais le fait d'arriver de France en porteur d'idées nouvelles et en conteur d'événements incroyables le rend déjà, qu'il le veuille ou non, solidaire de la Révolution, dont il dissimule d'ailleurs ce qui le choque en elle afin de pouvoir mieux s'en servir sur place. Il propose aux Ajacciens de se constituer en garde nationale, comme cela se fait partout en France. Le projet rallie tout le monde, puisqu'il s'agit d'une milice purement locale, sauf bien sûr les forces du roi, dont l'inquiétude monte. A ce moment, Napoléon, qui se démène comme un beau diable, organise les bataillons, peut enfin réciter du Rousseau à une tribune, apparaît presque comme un chef de parti. A son appel, un « Comité » de trente-six patriotes prend en main, de fait, les destinées de la ville, à la barbe des représentants de Versailles — non, il faut maintenant dire de Paris — où le peuple vient de ramener de force la famille royale.

Mais les frères Buonaparte « en font un peu trop ». Ils ne savent ni triompher modestement, ni s'effacer devant leurs aînés; on se rappelle que Napoléon n'a que vingt ans. A Paris, Buttafuoco, épouvanté, fait croire aux députés que la Corse est à feu et à sang. Les paolistes, profondément conservateurs par nature, se défient de ce gringalet qui parle un peu trop des droits de l'homme en général, alors qu'il ne devrait s'agir que du droit des Corses. Une opposition, sourde d'abord, puis de plus en plus violente, se manifeste contre « les trente-six », appuyés par les gardes nationales. Le commandant des troupes françaises tente de désarmer celles-ci.

Au 30 octobre, on est au bord de la guerre civile. Les Ajacciens, rassemblés dans l'église

Saint-François, font un tumulte terrible et parlent de donner l'assaut à la forteresse. Napoléon est un des orateurs les plus écoutés — et il est bien obligé de se souvenir qu'il est aussi officier du roi. Il propose le vote d'une adresse incendiaire, mais pour faire appel à l'Assemblée, contre le commandant français, contre Buttafuoco et ses partisans : « Vous, les protecteurs de la Liberté, daignez jeter un coup d'œil sur nous, qui en avons été jadis les plus zélés défenseurs, etc. » Les Ajacciens resteront tranquilles en attendant la réponse des députés, mais déjà le nom des Buonaparte se trouve de plus en plus lié aux réponses de Paris. Entre-temps, c'est Bastia qui prend feu, et d'autres villes du littoral.

L'appel des « patriotes » d'Ajaccio et de Bastia, vivement soutenu par Saliceti, est lu le 30 novembre à la tribune de la Constituante. Les députés s'aperçoivent alors, à leur confusion, qu'ils ont tout simplement oublié la Corse dans leurs grandes réformes, et qu'ils l'ont laissée sous un statut d'occupation abusif, qui est pratiquement celui d'une colonie. Malgré les efforts de Buttafuoco, une écrasante majorité vote que « l'île de Corse est déclarée partie de l'Empire français; ses habitants seront régis par la même Constitution que les autres Français ». Et l'hercule de la Révolution, Mirabeau, qui exerce en ces jours-là sur la France une sorte de « dictature de la parole », se précipite à la tribune aussitôt pour faire voter une amnistie générale en faveur de Paoli et de ceux qui, depuis vingt-cinq ans, s'opposaient à la France. Il se souvient de sa jeunesse, des pendus de Monsieur de Vaux qu'il avait vus se balancer aux branches des chênes, des villages incendiés, des femmes en noir qui le regardaient en face et lui faisaient baisser les yeux.... « Je ne m'en crois que plus étroitement obligé à réparer envers ce peuple généreux ce que ma raison me représente comme une injustice. »

Quand la nouvelle parvient à Ajaccio, c'est une fête comme on n'en avait jamais vu; on pavoise; on illumine; on improvise des rondes autour d'un immense feu de joie sur la place de l'Olme; un cri bien nouveau se fait entendre : « *Evviva la Francia !* » Quant aux Buonaparte, ils ont tout simplement tendu via Malerba une vaste banderole sur laquelle ils ont écrit : VIVE LA NATION ! VIVE PAOLI ! VIVE MIRABEAU! Et cette curieuse salade ne fait pas plaisir à tout le monde. Car enfin, si Napoléon vient en effet d'obtenir *des libertés* pour les Corses, les mêmes que celles des Français, ce n'est pas précisément *la liberté* dont il rêvait, c'est-à-dire l'indépendance. Paoli, au loin, fronce le sourcil quand il apprend que son nom est associé à celui de Mirabeau. Et ceux qui se souviennent des retournements spectaculaires de Charles-Marie notent que c'est son fils, Nabulione, celui qui fait de si beaux discours sur la patrie corse, qui vient de contribuer à faire crier *Evviva la Francia* devant chez lui. Maintenant, qu'on le veuille ou non, c'est fait : la Corse est « partie intégrée à l'Empire français » — vingt-cinq ans après Ponte-Nuovo. Parce qu'il y a eu la Révolution.

Comme toujours après une fête, les lendemains sont boudeurs. On ne promulgue pas sur place les décrets de l'Assemblée, et la vie quotidienne demeure placée dans l'île sous le double signe de la vexation des autorités et des soubresauts des administrés, tandis qu'on passe de 1789 à 1790. Il y a comme une période où chacun reprend ses billes en attendant que les grands principes se traduisent vraiment dans les faits. Les deux aînés des Buonaparte pensent déjà aux élections locales, qui vont venir : Joseph voudrait entrer dans la municipalité d'Ajaccio, et Napoléon devenir chef de cette garde nationale qu'il a contribué à fonder par ses conseils, mais où il faudra être élu pour commander. Tout demeure suspendu au retour de Paoli, qui s'est mis lentement en route, et les Corses tendent progressivement l'oreille, comme des enfants longtemps perdus qui guettent les pas de géant du père oublié, au loin, sur la route.

Paoli revient lentement, très prudemment, et se fait d'abord amplement fêter et applaudir par cette France qu'il avait tant détestée lui aussi, mais que personne ne reconnaît plus de par le monde. Lui qui était l'année précédente un ennemi du roi et un proscrit, reçoit de Paris, le 8 avril, un accueil de souverain. Sa légende le précède et l'auréole. On ne le voit plus qu'à travers Rousseau et Mirabeau. C'est un autre Washington. Louis XVI le retient à dîner. L'Assemblée lui donne les honneurs d'une séance. La Fayette passe en revue à ses côtés la garde nationale de Paris. Il se trouve si bien en France qu'il y reste deux mois entiers, pendant lesquels la situation de son île continue de pourrir doucement sur place, faute de savoir quel clan il favorisera vraiment à son arrivée. Il se met enfin en route, à petites journées, comme à regret, à travers les arcs de triomphe que lui élèvent ces villes de la route que Napoléon connaît bien maintenant et qui conduit au soleil : Lyon, Tournon, Valence, Aix, Marseille et Toulon, où Paoli s'embarque en sachant bien que la fête est finie et qu'il va se trouver devant l'amère confrontation de son image et des réalités. Il débarque au cap Corse le 14 juillet 1790, le jour où la Fédération se célèbre à Paris. Cet homme que tout le monde traite d'auguste vieillard, et qui n'a que 65 ans, se met à genoux et baise le sol de son pays, au milieu d'un attendrissement et d'une exaltation populaires incroyables. Des salves de fusils partent en l'air dans toute la Corse. Le Père de la Patrie est revenu. Toutes les misères et tous les malheurs sont finis !

Mais les difficultés commençaient.


Les Buonaparte font partie de la délégation désignée par Ajaccio pour aller un peu au-devant de lui. C'est à Ponte-Nuovo que Napoléon se trouve en face de son héros, et il est immédiatement déçu en découvrant, au lieu du vieux lion qu'il attendait, un homme gras et blanc, glacial, aux allures plus britanniques que corses, qui lui tend une main condescendante. Cette déception, il ne l'avoue à personne, et surtout pas à lui-même : depuis l'âge de raison, il a toujours misé sur Paoli. Mais il y a déjà un contraste évident entre la ferveur exagérée avec laquelle il se jette vers lui, et la froideur que ce dernier affiche à son égard. Paoli n'est pas fou : il s'est bien renseigné. Il sait que ce petit lieutenant est le fils de Charles-Marie, et que le parti des révolutionnaires — qui est devenu le « parti français » le jour où l'Assemblée a promulgué ses décrets — se rassemble peu ou prou autour de lui.

Apparemment, on nage dans la joie des retrouvailles. Napoléon, sans se rebuter, redouble de ferveur et de dévouement à l'égard du Babbo, qui refuse avec une modestie pleine d'orgueil tous les emplois et toute candidature aux élections, et se cantonne dans le rôle de puissance occulte de l'île, où rien ne se fera sans ses conseils, voire ses directives, mais sans qu'il en soit officiellement responsable. En fait, il refuse déjà intérieurement de se considérer comme « citoyen français » après les décrets de la Constituante, et ne veut pas entrer dans le mécanisme législatif et administratif impliqué par l'intégration de la Corse. Il attend. Il se tient prêt, comme un vieux chat triste aux aguets.

Pour tenter de forcer sa bienveillance, Napoléon rédige dès janvier 1791 une *Lettre à Buttafuoco* où il cloue au pilori ce partisan de la domination monarchique et de la colonisation de la Corse. C'est un pamphlet écrit avec de la lave brûlante, où le procès du « collaborateur » de tous les temps est impitoyablement mené :

« Au milieu du désastre général, au sein des gémissements et des cris de notre peuple infortuné, vous, cependant, commençâtes à jouir du fruit de vos peines : honneurs, dignités, pensions, tout vous fut prodigué... Vous dîtes, dans la joie de votre cœur, « les choses vont bien, il ne s'agit que de les maintenir », et aussitôt vous vous liguâtes avec le militaire, le robin, et le publicain français. »

Paoli ne se montre pas enchanté, et ne se déraidit pas. Il observe que Napoléon aurait pu, après tout, écrire exactement la même chose contre son propre père si celui-ci avait survécu; et il ne tient pas à se couper complètement du parti réactionnaire : il est horrifié par le courant d'idées subversives que les gazettes de Paris déversent en Corse, où son dessein est tout simplement d'établir une sorte de monarchie patriarcale fondée sur le respect de toutes les traditions, et dont il serait le seigneur suprême. Un mélange de féodalité et de régime anglais. Et puis il est déjà un homme usé par beaucoup d'épreuves, qui n'aspire plus qu'à la tranquillité; l'agitation de Napoléon, qui tourne autour de lui comme un vibrion et l'assaille quotidiennement de projets, de suggestions, de suppliques en faveur des uns ou des autres, le fatigue. Habile à la dissimulation, il se contente de faire bon visage, sans plus, aux Buonaparte, ce qui est suffisant pour que ceux-ci aillent partout en se réclamant de sa faveur.

Mais la *Lettre à Buttafuoco* a un résultat; celui de marquer Napoléon d'un sceau ineffaçable de révolutionnaire aux yeux des royalistes, qui détiennent encore partout, en Corse comme en France, des moyens puissants, notamment les armes et l'argent. Le clergé d'Ajaccio se déclare contre les Buonaparte et Fesch est mis en quarantaine par ses confrères, pendant les âpres polémiques autour de la Constitution civile du clergé, qui est la grande affaire des six premiers mois de 1790. Le 20 juillet, Joseph et Napoléon, qui se promènent place de l'Olme, rencontrent une procession de moines et de pénitents, pieds nus, la corde au cou, qui défilaient en criant : « Vive la religion ! » Un certain abbé Recco les reconnaît et les montre du doigt en criant : « Mort aux sans-Dieu ! Mort à l'officier ! » Des furieux les entourent et se préparent à les pendre aux grands arbres de la place. Seule l'intervention d'un pénitent qui les connaissait et était taillé en hercule, mais doit quand même faire feu pour les délivrer, leur permet d'avoir la vie sauve. Le choc de ce lynchage manqué, à deux pas de chez lui, va profondément marquer Napoléon, qui en gardera toute sa vie une terreur physique irrépressible des mouvements de foule hostiles à sa personne.

Après trois mois de grenouillage obscur entre les différents partis corses, pendant lequel Paoli se contente de placer ses créatures à tous les postes utiles, la grande assemblée électorale d'Orezza va concrétiser la déception de Napoléon : Paoli, après avoir fait des manières, accepte le poste de commandant général des gardes nationaux, ce qui réduit beaucoup les chances de Napoléon d'y jouer un grand rôle; il est plus un témoin qu'un acteur des séances, où Joseph, au contraire, se taille une bonne place, prenant trois fois la parole, notamment pour tenter de concilier Bastia et Ajaccio, qui se disputaient farouchement le titre de chef-lieu du département de la Corse. (Paoli, qui détestait les Bastiais, fera finalement trancher en faveur d'Ajaccio.) Et Joseph est élu président du Directoire d'Ajaccio, ce qui équivalait un peu à un poste de conseiller cantonal. Le rôle de Napoléon, redevenu « le cadet », doit se borner à faciliter, non sans bagarres, l'installation de son frère à ce poste, en dépit de l'obstruction d'une bonne partie des notables.

Dissipé, le beau rêve de 89 ! La griserie des premiers jours d'Ajaccio, où il pérorait en l'absence du Babbo ! Il ne peut pas ne pas se rendre compte, à la fin de 1790, qu'il s'est heurté à un mur mou : on l'a trouvé — même chez les gens « avancés » — trop jeune, trop exubérant. On a eu peur qu'il prenne la place des chefs de clans séculaires; il n'a pas eu assez d'argent pour faire des affiches ou publier des libelles au moment des élections; après avoir, avec une efficacité réelle, « révolutionné » la Corse et contribué à changer sa condition, qu'est-ce qu'il a obtenu finalement ? D'être le gendarme de son frère à une dignité médiocre. Ah si, autre chose, une dérision : une place de grand vicaire pour Fesch à la cathédrale d'Ajaccio. Paoli et ses amis ne lui ont rien laissé d'autre.

Ce mouvement de balancier que nous connaissons bien maintenant, et qui a été celui de sa jeunesse, le renvoie vers la France. Bien sûr, il y a pour cela un motif impérieux : son congé est expiré depuis trois mois et demi, et il est dans le cas d'être cassé de son grade et chassé de l'armée. Mais si le terrain corse avait été fructueux, il aurait bien su se débrouiller, comme les autres fois, se prétendre malade, ou même accepter le risque en face. Au lieu de se cramponner, il s'embarque vers le continent, où il emmène son jeune frère Louis, qui a douze ans, dans le but assez flou de « perfectionner son éducation ».

Les hasards des tempêtes d'hiver en Méditerranée rejettent deux fois son bateau à la côte corse. Cela lui permet d'assister, à Ajaccio, le 6 janvier 1791, à la première séance du « Club patriotique », une société populaire qui va former les Jacobins de Corse. Il y lit les passages les plus brûlants de sa *Lettre à Buttafuoco* et est applaudi comme jamais encore de sa vie. Le jeune officier qui avait quitté la France un an et trois mois plus tôt en ennemi des violences et de la subversion y retourne donc en partisan avoué de la Révolution.

En route, il musarde; il fait des tours et des détours avant de rejoindre Auxonne. Plaisir de jouer au mentor de Louis en lui faisant découvrir le midi de la France? Curiosité de redécouvrir lui-même ce pays qui vient de changer plus en deux ans qu'en dix siècles? Des arbres de la Liberté au centre de chaque place; la police faite par des patrouilles de gardes nationaux en tricolore; les grands châteaux orgueilleux aux contrevents tirés, désertés par leurs possesseurs émigrés; beaucoup d'églises vides, faute de prêtres, à cause de la querelle du clergé constitutionnel; partout des rassemblements, des discussions en plein air, ou justement dans les églises, chaque jour, ces réunions d'hommes farouches dont quelques-uns commencent à porter le bonnet rouge et à brandir des piques... Un nouveau monde, vraiment.

Le 8 février, Napoléon écrit à Fesch, après une étape à Saint-Vallier : « Je suis dans la cabane d'un pauvre, d'où je me plais à vous écrire après m'être longtemps entretenu avec ces bonnes gens... J'ai trouvé partout des paysans très fermes sur leurs étriers, surtout en Dauphiné; ils sont tous disposés à périr pour le maintien de la Constitution. » Ce n'est certes plus le ton de celui qui, après la prise de la Bastille, avouait son appréhension au même Fesch. Mieux encore : à Valence, il trouve « un peuple résolu, des soldats patriotes et des officiers aristocrates », et si les femmes de la ville sont toujours aussi jolies, leur beauté lui semble ternie par leur royalisme, « la liberté étant une femme plus jolie qu'elles, qui les éclipse ».

C'est dans ces dispositions d'esprit bien nouvelles pour lui, déjà un peu tenté par le démon de la politique, mais plus seulement en Corse, en France aussi, qu'il arrive quand même à Auxonne le 10 février. La seule chose qui n'a pas changé, c'est qu'il est toujours aussi pauvre. Les deux frères s'installent dans deux petites pièces meublées, louées par un Monsieur Bauffre, rue Vauban. Ils vivent ensemble pour trois francs par jour (environ cinq francs 1969). Ils prennent presque tous leurs repas dans leurs chambres, où Napoléon fait cuire lui-même « le bouilli »: le pot-au-feu. Mais ce genre de vie choque moins alentour : la mode commence à être à l'imitation des vertus romaines. Et Napoléon a présenté Louis à ses camarades dans ce nouveau style :

— Voici un jeune homme qui vient observer une nation tendant à se détruire ou à se régénérer.

Il s'est érigé son précepteur particulier, l'emmène à peu près partout avec lui, et lui épargne les humiliations qu'il a lui-même connues, en lui apprenant à s'exprimer et à lire en français. Sans doute espère-t-il pouvoir, à la faveur de la réforme générale des systèmes d'enseignement, parvenir à le placer ensuite dans une école militaire quelconque. En attendant, il s'occupe de lui avec un mélange d'affection et d'autorité qui pèse un peu à Louis, ce ravissant garçonnet très conscient de son charme et qui joue les petits messieurs. « Toutes les femmes de ce pays-ci en sont amoureuses, constate son aîné, non sans fierté. Il a pris un petit ton français, propre et leste; il entre dans une société, salue avec grâce, fait les questions d'usage avec un sérieux et une dignité de trente ans... »

Napoléon a du mal à se passionner de nouveau pour la vie militaire, et ne reprend du service que le strict minimum pour faire oublier la « rallonge » de sa permission et se maintenir dans le cadre de la profession. Mais il saisit toutes les occasions de s'évader, de se promener dans la région, le plus souvent en liaison avec les événements locaux de la Révolution. Il va d'Auxonne à Besançon à pied pour faire imprimer sa *Lettre à Buttafuoco*, et en adresse d'urgence quelques exemplaires à Paoli en le priant de lui communiquer des documents et des souvenirs personnels pour continuer son *Histoire de la Corse*. Il reçoit en réponse une douche glacée : « Je ne puis, à présent, ouvrir mes caisses et chercher mes écrits... D'autre part, l'Histoire ne s'écrit pas dans les années de jeunesse... Cette brochure aurait fait plus grande impression si elle en avait moins dit et si elle avait montré moins de partialité. » Cela ne suffit pas à le décourager d'écrire; franchement, il se croit alors fait pour être un écrivain. En mai, il est inspiré tout d'un coup par une longue discussion qu'il vient d'avoir avec des Mazis, l'ami retrouvé mais de moins en moins proche de lui par les affinités. Or, des Mazis est amoureux à en crever d'une certaine Adélaïde, qui se montre cruelle à son égard. Il maigrit à vue d'œil, fuit ses camarades, perd l'appétit et caresse des idées de suicide. Napoléon le morigène en vain, puis écrit d'un trait un *Dialogue sur l'Amour,* où l'on croirait entendre Saint-Just : l'amoureux n'est qu'un malade qui est « le jouet d'une imagination jamais assouvie », l'amour est même une passion nuisible à la société, puisque l'homme est avant tout un serviteur de l'État et que, pour bien le servir, « il faut être toujours maître de son âme et de ses occupations. On ne doit être guidé que par le flambeau de la raison... », etc. Vingt pages. Il a vingt et un ans.

En ce même printemps, Napoléon a fréquenté à Auxonne une demoiselle dont nous ne savons que le nom : Manesca Pillet. Il avait demandé sa main, pendant qu'il sermonnait des Mazis à propos d'Adélaïde. On lui avait rapidement fait comprendre qu'on espérait mieux. Il avait soupiré auprès d'un autre camarade :

— L'amour m'ôte la raison. Je ne la retrouverai jamais. On ne guérit pas de ce mal-là...

Pour qui a-t-il écrit son farouche *Dialogue*?
Pour des Mazis, ou pour lui-même?

Une autre vague de la Révolution va venir
l'enlever doucement à ces amours et ces discours qui ne sont plus de saison. Un décret
constitutionnel a réorganisé l'armée en profondeur et entraîne toutes sortes de changements
d'affectation. Dans le cadre de ce vaste mouvement, Napoléon est muté du régiment de La
Fère — devenu 1er régiment d'artillerie française — au 4e régiment, d'artillerie toujours,
cantonné... à Valence, ce qui limite son dépay-
sement. Il est promu premier lieutenant et
augmenté de sept francs par mois.

A Valence, où il arrive en juin, c'est comme
si l'on repassait une bande de film au ralenti :
il retrouve Mademoiselle Bou, la vieille fille
trop heureuse de l'héberger à nouveau et de
gâter Louis; il retrouve les commensaux de
l'auberge des *Trois pigeons*. Son second régiment ressemble comme un frère au premier :
mêmes routines, mêmes exercices, même vie
de garnison. De ce point de vue, la Révolution
n'a pas changé grand-chose, et c'est hors de la
vie militaire qu'il rejoint les temps nouveaux,
à la Société des Amis de la Constitution, dont
il est élu secrétaire. Le 3 juillet 1791, il assiste
à un énorme rassemblement de vingt-trois
sociétés populaires de la Drôme, de l'Isère et de
l'Ardèche, provoqué par la nouvelle de la fuite
du roi, arrêté juste à temps, à Varennes, alors
qu'il allait chercher le secours des Autrichiens
et des Prussiens pour réduire les Français à

merci. Mais le roi, ramené de force à Paris, trouve des défenseurs épouvantés, même parmi ceux qui l'attaquaient deux mois plus tôt, et la France se réinstalle dans la monarchie pour quelques mois. Napoléon, un peu perdu devant tout cela, fait des excursions avec Louis à travers le Dauphiné, assure, là encore, son service sans zèle excessif, et — le balancier, le balancier ! — recommence à éprouver une irrésistible envie de la Corse. On dirait qu'il s'est toujours particulièrement ennuyé à Valence. Il est vrai que, pour la seconde fois, il s'y trouve dans un cul-de-sac. La Révolution n'a-t-elle eu lieu que pour le faire lieutenant en premier, au même endroit, dans le même train-train ? Là-bas, en Corse, de loin bien sûr, comme toujours, il est certain que les choses ont suffisamment évolué pour que Paoli, maintenant, éprouve un irrésistible besoin de lui. D'ailleurs les lettres qu'il reçoit d'Ajaccio, largement colorées par l'optimisme de ses deux frères dans la course, tourmente sa jalousie : on lui laisse entendre que Joseph est sur le point de devenir l'un des principaux conseillers du Babbo, et Lucien, ce gamin, son secrétaire. Et lui, alors ? Le genre de mission qui lui incombe en France lui rappelle vaguement les tristes corvées de 89 à Seurre et à Auxonne. En septembre, il doit intimider les habitants de Tain-l'Hermitage, sur les côtes du Rhône, pour qu'ils acceptent dans leur église un « intrus », c'est-à-dire un prêtre constitutionnel. Il exerce toujours l'ordre au nom du roi, comme deux ans plus tôt, même si ce roi est plus ou moins prisonnier d'une assemblée incohérente.

Allons, c'est décidé, il repart pour la Corse ! Mais son nouveau colonel se fait tirer l'oreille pour accorder encore un congé. Il lui faut patienter près d'un mois en gribouillant des essais pour tromper son impatience, et il écrit dans ses cahiers : « L'homme sent-il le feu du génie circuler dans ses veines ? L'infortuné, je le plains ; il sera l'admiration et l'envie de ses semblables, et le plus misérable de tous. L'équilibre est rompu, il vivra malheureux... Les hommes de génie sont des météores destinés à brûler pour éclairer leur siècle. »

Il ronge d'autant plus son frein que la Constituante va se séparer, que de nouvelles élections vont avoir lieu, et que Joseph pourrait être élu député d'Ajaccio à la nouvelle Assemblée législative. Cela laisserait le champ libre à Napoléon pour postuler, avec des chances sérieuses cette fois, un grade élevé dans les bataillons de la garde nationale corse, en pleine réorganisation. Son ambition se borne donc encore à devenir peut-être un jour une sorte de connétable du Babbo, le chef suprême des milices de Corse. De retour là-bas, il est sûr de pouvoir à la fois pousser Joseph et se pousser lui-même. Il est vrai que, pour toute élection, il sait maintenant qu'il faut de l'argent. Mais justement une autre nouvelle lui parvient et l'on n'ose affirmer qu'elle lui fait beaucoup de chagrin : le détenteur des cordons de la bourse, l'archidiacre Lucien, est à la mort.

Il fait appel à son ancien chef d'Auxonne, le général du Theil. Un coup de « piston ». On lui accorde une fois de plus un congé qu'il ne mérite absolument pas (trois mois avec solde). Vers la fin de septembre 1791, il se rembarque pour Ajaccio — c'est déjà la quatrième fois — en compagnie de Louis, qui n'aura pas vu grand-chose de la France.

Deux morts ont rendu service à Napoléon, du moins dans son optique encore réduite d'un épanouissement de sa destinée en Corse : celle de son père, d'abord, qui « dédouanait » sa famille d'une fréquentation trop affirmée des Français; celle de l'oncle Lucien, au moment où va se jouer la péripétie décisive pour les Buonaparte sur leur terrain. A peine a-t-il le temps d'arriver que le vieux tyran trépasse au milieu de tous les siens rassemblés, et sincèrement affligés, car, s'il les a tous tarabustés, il n'a pas cessé de les défendre à sa manière, avec sa vieille poigne noueuse.

Mais enfin, dès qu'on l'a porté en terre en grande cérémonie, on découd sa paillasse et l'on y trouve un magot rondelet; sans compter que maintenant, pour monnayer les biens, il suffit des signatures de Joseph et de Napoléon. Ces deux derniers, à la hauteur desquels Lucien essaie de se maintenir, se lancent une nouvelle fois à la conquête de la Corse.

La situation de l'île n'est pas plus drôle que celle du reste de la France. Ce serait même presque pis, parce que la présence de Paoli, sans l'approbation duquel personne ne bouge le petit doigt, entretient une sorte de pagaille permanente entre les nouveaux et les anciens pouvoirs, les coutumes et les innovations, le courant révolutionnaire venu de France et l'appel à la matrice des temps anciens, entendu par les « vieux Corses ». Chaque jour, dans un coin ou l'autre de la Corse, il y avait des empoignades confuses, des bagarres, on ne savait même plus trop à propos de quoi : faute d'autorité, d'impulsion centrale; les Buonaparte continuaient à tenir une position solide à Ajaccio, toujours plutôt en flèche idéologique, donc taxés, qu'ils le veuillent ou non, de « pro-français », de « jacobins », détestés par les tenants de l'ancien système et tolérés avec méfiance par les paolistes. Quant au Babbo, atteint d'une sorte d'ataxie, et persuadé que la Corse finirait par lui choir entre les mains comme un fruit mûr, il ne bougeait pas.

L'arrivée de Napoléon, cette fois encore, apporte, au moins au début, un regain de combativité aux siens. Il peut, assez vite, atteindre un objectif prévu : il se fait élire d'abord « adjudant-major » (donc le premier après le colonel) dans un bataillon de volontaires corses stationnés à Ajaccio. Ce grade ne pouvait être conféré qu'à des militaires éprouvés. Il lui fallait en outre la sanction du ministre de la Guerre à Paris, Narbonne, qui l'envoie en janvier. Cela compense un peu la déception de l'échec de Joseph, qui ne sera pas député à la Législative.

Au début de 1792, donc, Napoléon a l'impression qu'un cordon ombilical s'est rompu, celui qui l'attachait à la métropole : fini Valence ! fini Auxonne ! Il a au moins obtenu ceci du destin : toute la peine, tout le travail de son adolescence lui servent à entreprendre de jouer sa chance au maximum sur le sol natal. Peut-être n'y a-t-il jamais eu de moment où il s'est senti mieux dans sa peau : « Jamais on ne le vit plus expansif. Il s'entretenait avec ceux qu'il rencontrait, s'attachait à leur plaire, leur donnait des nouvelles du continent. Il passait, à Ajaccio, pour l'homme qui connaissait le mieux les événements de la Révolution. Certains le trouvaient extrêmement jeune; il avait, à vingt-trois ans, l'air d'en avoir quinze. Mais il imposait par son grade et son uniforme d'officier d'artillerie, par la fierté de ses manières, par la chaleur et l'audace de son langage... Il voulait toujours aller de l'avant : « Autant vaut ne rien faire que de faire les choses à demi », disait-il (A. Chuquet).

C'eût été trop beau. Les ennemis des Buonaparte, et Paoli en sous-main, font leur possible pour débarrasser leur domaine de cet ambitieux encombrant. Dès la fin février, on lui notifie de Paris que la permission du ministre n'est que provisoire, et qu'il devra bientôt rejoindre son corps en France : seuls les colonels élus par les volontaires peuvent être détachés dans l'île à titre définitif.

Qu'à cela ne tienne! Napoléon pose sa candidature au poste de colonel d'un bataillon, et le clan déploie toutes ses ressources pour le faire élire. Il provoque en duel le Peraldi que les royalistes lui opposent, défie les Pozzo di Borgo qui mènent campagne contre lui, et enlève un commissaire du gouvernement qu'il séquestre toute une nuit via Malerba. On sent ses poings durcis, sa volonté enfin tendue vers un seul but; il est décidé à rendre coup pour coup. Le 1er avril 1792, il est élu lieutenant-colonel en second du 2e bataillon de volontaires.

Pourra-t-il souffler? Il voudrait profiter de

cette position pour s'organiser, négocier, tenter encore de se rapprocher de Paoli... Les événements ne lui en laissent pas le temps. Son élection a été interprétée comme une victoire des extrémistes, des jacobins, qui se sentent maintenant mieux défendus parce qu'un Buonaparte commande une force militaire. Une semaine plus tard, le dimanche de Pâques, un prêtre « non jureur », c'est-à-dire antirévolutionnaire, célèbre la messe dans la cathédrale d'Ajaccio, qui s'apparente décidément à une poudrière en ces années-là. Deux ou trois cents « patriotes » lui sautent dessus, poignard à la main. Napoléon accourt avec ses volontaires, sauve le prêtre, mais passe du côté du peuple quand la garnison royale sort pour faire un exemple et tire dans les rues. On se bat toute la matinée. Sans l'avoir particulièrement cherché, Napoléon et ses hommes se trouvent dans le camp des « exaltés », contre les troupes royales, contre les paolistes qui sont pour les prêtres « non jureurs ». Déchaîné pendant quelques heures, grisé par les acclamations du petit peuple, Napoléon assiège la citadelle avec ses miliciens. Il est pratiquement maître deux ou trois jours d'une Ajaccio en insurrection dont il est le petit La Fayette. Mais la forteresse tient bon, les notables ne suivent pas, Paoli fait marcher des troupes de l'intérieur vers Ajaccio, et Napoléon doit s'incliner sur l'injonction du « Directoire du Département ». Il est expédié à Corte avec son bataillon; en d'autres temps, on l'aurait fusillé. Son heure est passée à Ajaccio, où son prestige est entamé, d'abord par son manque de sang-froid, ensuite par son échec.

Qui l'aurait prédit un mois plus tôt? Il repart pour la France le 1er mai. Début avril, il tenait ce qu'il avait toujours espéré de la vie : un grade en Corse, une issue vers l'implantation définitive dans son île, le titre pompeux de colonel... Mais il est ainsi fait qu'il ne peut pas, physiquement, supporter la déception, surtout quand elle est de taille — et celle-ci est la plus forte de sa vie jusqu'à présent. Il est immédiatement écœuré. Lui, après tout le mal qu'on s'est donné pour son élection, relégué à Corte, en marge de tout ce qui se passe d'intéressant? Ah non !

D'ailleurs Joseph l'avertit : « Il est urgent que tu ailles en France » — en France, où des rapports ont été envoyés sur sa tentative de « rébellion », où il risque d'être rayé des cadres si l'on ne ratifie pas son élection de colonel, et où l'on parle même... de l'inscrire tout simplement sur la liste des émigrés !

Il abandonne sans hésiter ni s'excuser son bataillon de volontaires et repart en France — pas pour Valence, où il n'a pas le courage de se remettre dans la petite boîte de la garnison, mais pour Paris. Il verra le ministre. Quel ministre? Les gouvernements se succèdent dans le cabinet de Louis XVI comme des boules de billard. Est-ce qu'il y a même encore un roi? Raison de plus: si le sort de la France et du monde se décide sur les bords de la Seine, c'est là que le sien se décidera.

Quelle angoisse, cette fois, quelle tension dans ce voyage vers Paris ! Où sont ses joyeuses randonnées d'étudiants ! Il suit la même route que les groupes de fédérés marseillais qui montent vers Paris par petits groupes pour aller aider là-bas les jacobins. Devant les Maisons communes des grandes villes, les volontaires défilent pour s'engager sur des estrades improvisées. La patrie est en danger. C'est la guerre, avec les Autrichiens et les Prussiens ; cette guerre qui lui aurait tant fait plaisir si elle s'était déclenchée quand il était à Auxonne, mais dont il se moque maintenant. Sa partie, sa querelle, sa vie, c'est la Corse, où toute la famille est maintenant rassemblée sauf Maria-Anna, toujours à Saint-Cyr. Tout ce qui compte pour lui, c'est de se mettre une bonne fois en règle avec les bureaux de Paris et de revenir chez lui pour une revanche qui, il commence à le savoir, devra sans doute se remporter malgré Paoli.

Comme en 1789, il est distrait, réellement étranger à ce qui se passe en France. Les deux périodes cruciales de la première révolution, celle qui va faire tomber le trône, 89-92, l'auront vu ailleurs en pensée. Cette fois, il s'agit pour lui de savoir si l'énorme machine à tout casser qui se déchaîne va le broyer lui aussi. Ce n'est plus pour des mûriers qu'il va solliciter, mais pour sauver sa carrière.

Le 28 mai, il descend à l'*Hôtel des Patriotes hollandais*, rue Saint-Roch, que des amis corses lui ont recommandé. La gravité des choses le prend tout de suite à la gorge. Il écrit à Joseph : « Paris est dans les plus grandes convulsions. Il est inondé d'étrangers (il faut lire « de provinciaux ») et les mécontents sont très nombreux. Voilà trois nuits que la ville reste éclairée. L'on a doublé la Garde nationale qui reste aux Tuileries pour garder le Roi... » Il court les rues, il s'informe, il va aux séances de l'Assemblée où il retrouve son ami de Brienne, Fauvelet de Bourrienne, qui cherche, de son côté, une place dans les bureaux des Affaires étrangères. En quelques jours, son intuition lui permet de saisir que l'édifice branlant de la monarchie constitutionnelle est en train de s'écrouler. Immédiatement, il rapporte cela aux événements de Corse : si tout s'effondre, il y aura une autre Assemblée, et, dans ce cas, se dépêche-t-il d'écrire à Joseph, « ne te laisse pas attraper ! Il faut que tu sois de la Législative prochaine, ou tu n'es qu'un sot... Ce pays-ci (la France) est tiraillé dans tous les sens par les partis les plus acharnés... Je ne sais comment cela tournera, mais cela prend une allure bien révolutionnaire ».

Lui-même, un court instant, est repris par ce souffle dramatique, épique, qui passe dans les bureaux du ministère de la Guerre et qui fait voler la paperasserie. On a besoin aux frontières d'hommes qui s'y connaissent en artillerie. Le Comité de l'artillerie propose sa réintégration dans l'armée, avec le grade de capitaine, et son brevet pour ce nouveau grade est signé par un ministre de la Guerre pour huit jours, Servan, un Girondin. Napoléon éprouve un moment la tentation de jouer un grand rôle dans la grande guerre. Va-t-il se retrouver côte à côte avec les Marceau, les Jourdan, les Hoche, qui vont sauver la France à l'Est *in extremis*?

Mais l'armée qui part aux frontières ne lui plaît pas; il ne la reconnaît pas; et même la France qu'elle se prépare à défendre n'est pas celle qu'il a fréquentée, sinon adoptée. Le 20 juin, le 10 août, il assiste en spectateur effaré aux deux invasions des Tuileries par le peuple en armes, la première pacifique, la seconde sanglante, et qui abat le trône. « Suivons cette canaille ! » lance-t-il à Bourrienne. Il emploie le même terme qu'à Seurre. Il n'en revient pas devant la maladresse stratégique de Louis XVI et de ses défenseurs. N'y a-t-il donc pas un artilleur capable parmi ces gens-là ?...

— *Che·coglione !* Comment a-t-on pu laisser entrer cette canaille (*bis*). Il fallait en balayer quatre ou cinq cents avec du canon, et le reste courrait encore !

Le 11 août, il se retrouve officier, non plus du roi, mais d'une république à laquelle son esprit de classe l'empêche de comprendre quoi que ce soit, et qu'il estime devoir être la république de la chienlit. Il n'a plus la moindre envie de se battre pour elle — et l'avant-dernier retour du balancier le renvoie vers la Corse, puisqu'il va y avoir, c'est sûr, de nouvelles élections, et que Joseph pourrait donc, cette fois, se faire envoyer à la Convention. Un prétexte : la Maison des Demoiselles de Saint-Cyr est fermée, et il doit raccompagner Maria-Anna chez sa mère; on ne peut pas laisser cette enfant de quinze ans traverser seule une France complètement sens dessus dessous. Une chance : les bureaux de la Guerre sont tellement bouleversés que n'importe qui lui signe une nouvelle permission pour six mois. Le 9 septembre, il quitte, non, il fuit Paris, où viennent d'avoir lieu les massacres des prisonniers, et sur lequel marchent les armées du duc de Brunswick. Un pays gouverné par un Danton, un Marat, des gens qui lui répugnent; un pays qu'au fond, il croit vaincu d'avance. En avril, il donnait l'assaut à la forteresse d'Ajaccio. En septembre, il n'admet pas que les Parisiens aient pris les Tuileries d'assaut. Révolutionnaire en Corse, homme d'ordre en France, il court la poste en compagnie de cette sœur aînée déjà dure, sèche (la seule qui ne soit pas jolie), formée aux révérences et aux mondanités comme un petit mannequin, et dont l'indignation de ce qui arrive renforce la sienne. Comment va-t-il se tirer de l'impasse où il s'enferme à toute allure?

Juin 1793. Calvi. Un port de pêche à cent maisons basses et blanches. Un petit troupeau digne et fier, avec des bagages sommaires, pas trente personnes, passe du quai sur le chébec, un bateau à voile unique si mince, si fragile, qu'on se demande comment il peut s'éloigner des côtes. C'est tout ce qu'on a pu trouver pour emporter de Corse à Toulon les derniers partisans de la Révolution française — de la France. Parmi eux, les Buonaparte presque au complet (Lucien est déjà sur le continent), chassés, traqués, maudits par Paoli et presque tous leurs compatriotes. La maison de la via Malerba vient d'être ravagée de fond en comble et à demi brûlée par les Ajacciens qui les cherchaient pour les pendre. Napoléon, dans son uniforme bleu-blanc-rouge de colonel de la garde nationale, s'efforce de régler l'embarquement et de se montrer impassible, comme sa mère, pour maintenir au moins la façade. Il faut se hâter de sauver la seule chose qu'ils ont préservé de leur tentative corse : la vie. Les petits sont dans l'entrepont; déjà des coups de feu retentissent dans les faubourgs; allons ! Cette fois tout est bien fini, bien perdu. Il est difficile d'éprouver le sentiment d'avoir aussi bien raté sa vie avant d'avoir vécu que Napoléon de Buonaparte, qui n'est déjà plus colonel et ne va peut-être plus se retrouver capitaine en France. Un bon coup de vent arrache à la Corse la famille Buonaparte qui n'y remettra pratiquement plus les pieds. Il n'a fallu que neuf mois pour que le dernier acte de l'interminable va-et-vient du cadet entre France et Corse aboutisse à cette catastrophe. Comment cela a-t-il pu se faire ?

Son tort principal est de s'être bercé d'illusions en revenant encore une fois. Si déjà il avait été boudé par les Corses traditionnels quand il représentait la monarchie tempérée, comment n'avait-il pas prévu qu'ils le rejetteraient quand il apparaîtrait comme une sorte d'émanation de cette France diabolique qui coupait la tête à son roi et chassait ses curés?

De mois en mois, une suite d'échecs : Joseph n'est pas plus envoyé à la Convention qu'à la Législative; un ami des Buonaparte est pourtant élu, mais c'est le « républicain » Saliceti, celui qui, déjà trois ans plus tôt, orientait la Corse vers l'intégration révolutionnaire; les paolistes le haïssent; Napoléon perd tout l'hiver à des intrigues confuses à la tête de ses volontaires; on lui confie enfin sa première mission de guerre :

s'emparer, au large de la Sardaigne, dont le Roi est maintenant aussi en guerre contre la France, de l'îlot de la Maddalena, un petit point fortifié. Il commande « l'artillerie » de cette micro-expédition : trois cent cinquante hommes et trois pièces. Mais on lui coupe l'herbe sous le pied : Paoli n'a aucune envie de le laisser se distinguer pour les beaux yeux de la Convention. Les Corses, bien plus près des Sardes que des Français par le cœur, se mutinent avant de débarquer, et Napoléon doit revenir à Bonifacio, à moitié prisonnier de son bataillon. Il le plante là sans ménagement et retourne à Ajaccio, décidé à pousser Paoli dans ses derniers retranchements.

Il y a eu entre eux une entrevue décisive, vers le mois de mars. Pas d'orages : de part et d'autre, une correction doucereuse. Paoli penche déjà de toutes ses préférences vers l'Angleterre, qui est entrée à son tour dans la guerre. Peut-être Napoléon attend-il encore qu'il le lui avoue, qu'il lui dise : Allez ! guerre aux Français, comme il y a vingt-cinq ans, et soyez mon second... Il s'en est fallu de quelques minutes et de quelques mots pour que Napoléon fasse la guerre à la France. Mais ce vieillard glacé à tête de mouton qui noie les questions et branle du chef sentencieusement... Napoléon, à jamais déçu, devient tout à fait homme en perdant son grand homme. Il n'admirera jamais plus personne inconditionnellement.


Le retour à Ajaccio... La tentative, perdue d'avance, de maintenir le prestige des Buonaparte dans une ville qui gronde sourdement contre eux et les identifie aux républicains français... La gaffe dangereuse de Lucien qui passe en France et dénonce Paoli aux jacobins de Toulon... Le décret de la Convention, par contrecoup, qui met le Babbo en accusation et, sacrilège, le convoque à Paris !... L'arrivée des commissaires de la Convention qui met le feu aux poudres... Toutes les *pievi* de l'intérieur en armes pour défendre Paoli... Les Buonaparte, expulsés d'Ajaccio une première fois, ballottés sur le littoral de ville en ville, partout où se cramponnaient des partisans de la France... Napoléon, blessé jusqu'au fond de l'âme, s'accrochant plus qu'eux tous, s'obstinant à proposer de reprendre Ajaccio, de mener campagne à l'intérieur, eux aussi, en attendant les renforts...

Quels renforts ? La Convention, pour le moment, n'a pas un homme, pas un sou, pas une cartouche à envoyer en Corse. Mais ses commissaires signalent au Comité de salut public en formation le zèle patriotique véhément du « Citoyen Buonaparte » — de celui-là même qui avait quitté la France dégoûté après la chute de Louis XVI. Ils ne peuvent pas se rendre compte que si l'ultime retour du balancier rejette Napoléon et sa famille vers la France de l'an II, c'est d'abord parce qu'ils ont pressé comme un citron toutes les chances de fortune qu'ils avaient en Corse — et surtout parce que maintenant entre Paoli et eux, c'est inexpiable. Une affaire de vendetta.

# En France: le succès

## Marseille-Toulon-Nice : un an et un mois (juin 1793-juillet 1794)

> « Vous suivez, dites-vous, le drapeau tricolore? Paoli aussi l'arbora en Corse pour avoir le temps de tromper le peuple. »
>
> (Napoléon : *Le Souper de Beaucaire*)

La famille Buonaparte ne connaîtra jamais de période plus tragique que les premières semaines d'exil en France. Ils sont des réfugiés, des déracinés dans tous les sens du terme. Ils ne possèdent plus que les quelques pièces d'or et les assignats — qui se démonétisent à toute vitesse — qu'ils ont pu rassembler en hâte avant leur exode. Sauf Napoléon, Joseph, Lucien, Maria-Anna et un peu Louis, ils ne parlent pratiquement pas français. Et ils tombent dans une telle détresse générale que leur aventure n'intéresse personne : leur détresse est une goutte d'eau dans le fleuve montant des misères et des malheurs qui commence à submerger tout le midi de la France. Madame Lætizia gardera de ces moments-là, sous son masque impassible, une horreur profonde de la France et des Français, et une peur panique de retomber si bas.

Pourtant, il leur faut bien tourner résolument le dos à la Corse. On change le nom des filles, pour les franciser; Maria-Anna s'appellera Elisa, Maria-Nunciata Caroline, et Maria-Paoletta Pauline. Lucien, lui, saute une étape de plus et se fait appeler Brutus Bonaparte (il est le premier à supprimer le *u* dans l'orthographe du nom), dans le club de Jacobins qu'il fréquente.

Les villes sont tellement agitées, et le ravitaillement y est si précaire, que la *madre* et les six enfants les plus jeunes se casent comme ils peuvent hors de Marseille, à La Valette, près de Toulon, mais du côté des terres, de l'autre côté du mont Faron. Là, ils peuvent au moins élever des poules et des lapins. Joseph « monte » à Paris en toute hâte avec une délégation des Corses « patriotes » expulsés, pour demander des secours d'urgence à la Convention en faveur des réfugiés. Napoléon, lui, a encore deux atouts en main : son métier, et sa réputation, maintenant solidement établie, quoique par une sorte d'accident au ralenti, de « jacobinisme ». La réputation politique aidant la réputation professionnelle, il va faire face, user de tous les expédients possibles, et maîtriser le destin contraire avec un ressort singulier.

Il part à la recherche de son régiment — le 4e d'artillerie — et il a la fortune de ne pas le trouver trop loin, puisqu'une partie de ce corps vient d'être détachée à Nice. La Convention tente de masser une armée des Alpes à la frontière du Piémont, pour faire une diversion, ou du moins une intimidation vers le sud, qui desserrerait un peu la pression des armées d'invasion sur le Rhin.

Napoléon obtient sans histoire sa réintégration comme capitaine d'une artillerie fantôme : s'il dispose de quelques pièces, les boulets manquent. Il passe donc ses premières semaines d'activité à parcourir la région en long et en large, avec une poignée d'hommes, à la recherche de projectiles.

C'est d'autant moins commode que la France est en train de se démantibuler. Pendant les dernières péripéties de son aventure corse, Girondins et Montagnards s'empoignaient farouchement à la Convention, et la Révolution repartait pour une troisième étape : aux défenseurs de la bourgeoisie commerçante, qui voudrait digérer en paix les conquêtes de 89 et notamment les biens des nobles qu'elle s'est appropriée, s'opposent les « Enragés », les « Partageux », tout le petit peuple remuant des sans-culottes, dont les députés « montagnards » (qui siègent en haut de la Convention) veulent être plus ou moins les interprètes. Les Girondins viennent d'être abattus; Danton est déjà dépassé; Marat et Robespierre commencent à dominer Paris, sinon la France dont des morceaux entiers s'insurgent contre eux : la Vendée pour le roi, la Normandie et Lyon pour les Girondins. En juillet, justement, une jeune aristocrate normande, Charlotte Corday, poignarde Marat. Robespierre et ses amis apparaissent à ce moment comme l'incarnation vivante de la Révolution en marche, soutenue en province par les clubs de Jacobins.

Tandis que Napoléon ravitaille l'armée des Alpes, il apprend que, dans son dos, Marseille et Toulon se sont soulevées contre la Convention. Une armée populaire commandée par Carteaux reprend Marseille assez facilement : les « Fédé-

159

ralistes », autre nom des Girondins, n'ont pas eu le temps de s'y organiser. Mais, à Toulon, ils passent la main aux royalistes qui s'empressent eux-mêmes d'ouvrir la rade aux flottes anglaises et espagnoles. Toulon, assiégé par un cordon de forces loyales manquant de tout, constitue une « tête de pont » idéale pour un débarquement de troupes étrangères qui prendrait la France à revers. Personne, cet été-là, ne parierait gros sur les chances de la Révolution. La Convention, à Paris, semble prise dans un étau qui va se resserrer impitoyablement : à l'ouest, la Vendée, à l'est, Prussiens et Autrichiens, au sud-ouest, les Espagnols, au sud, par Toulon, les Anglais — sans compter l'insurrection latente allumée par les Girondins dans trente départements. Son arme est celle du désespoir : la Terreur.

Napoléon rôde à droite et à gauche dans ce terrain pourri; avant d'entrer dans une ville, avec ses hommes, il doit se demander de quel côté se sont rangés les habitants. Ainsi Beaucaire, sur le Rhône, où il passe toute une nuit à discuter fiévreusement avec quatre marchands, dans une auberge. On se doute bien de quel côté sont les marchands, horrifiés par la montée d'un pouvoir populaire qui risquerait de confisquer les bénéfices exagérés. Mais le petit officier, dressé sur ses ergots, prend le parti des Jacobins avec une véhémence étrange chez lui : il n'y a pas un an qu'il reculait d'horreur devant « la canaille ». Pourtant, il est sincère : parce que, depuis, il s'est enfin trouvé personnellement concerné; en Corse, ce sont les royalistes et Paoli, ce vieux réactionnaire, qui ont eu raison de lui et lui ont tout ôté. Ce n'est plus par idéologie, mais par expérience qu'il épouse le mouvement de la Révolution, et son besoin de vengeance est tel en cet été 93 qu'il est prêt à en admettre toutes les violences.

D'un trait, il rédige le lendemain les vingt pages du *Souper de Beaucaire* où il résume tout cela : le texte le plus « rouge » que nous possédions de lui. Et parce qu'il faut faire flèche de tout bois, il réussit à obtenir une subvention des représentants aux armées pour faire imprimer la brochure qu'il envoie aux quatre horizons, notamment à Robespierre, à Paris.

Enfin, un coup de chance, un vrai : parmi ces représentants munis de tous les pouvoirs par la Convention, et qui avaient mission de galvaniser partout la résistance, il y a Saliceti, le seul député corse à se ranger du côté des Montagnards, l'ennemi de Paoli, l'ami des Buonaparte. Il a mission, en compagnie d'un autre député, Gasparin, de reprendre Toulon en vitesse, avant que les Anglais en aient fait une base inexpugnable. Mais il s'arrache les cheveux : Carteaux, le chef de l'armée qu'on met à sa disposition, est un incapable, et lui-même ne connaît pas grand-chose aux questions militaires.

Il vient d'y avoir une échauffourée sérieuse dans les gorges d'Ollioules, où les Français ont tenté de surprendre les défenseurs de Toulon.

Dammartin, l'officier qui commandait l'artillerie des assiégeants, est gravement blessé. Quand Napoléon vient saluer Saliceti, à Nice, le 16 septembre, celui-ci lui propose aussitôt de remplacer Dammartin. Il ne se le fait pas demander deux fois : c'est une occasion à saisir aux cheveux. Le lendemain, il se présente à Carteaux.

C'est une fourmilière insensée, le quartier général républicain d'Ollioules ! Impossible d'imaginer une pagaille plus complète. Napoléon, scandalisé, comprend pourquoi Saliceti se désespérait. Sur un état-major formé de bric et de broc, Carteaux règne comme un général d'opérette, dans un uniforme doré des pieds à la tête. C'est un braillard, un imbécile, pas méchant, mais complètement nul, ancien peintre en bâtiments, puis gendarme, puis dragon, puis général. Son énorme moustache lui tient lieu de compétence. Il accueille son nouvel adjoint avec suffisance :

— De l'artillerie ? Mais c'est inutile ! Nous n'avons plus besoin de rien pour prendre Toulon. Nous y entrerons quand nous voudrons, demain ou après-demain...

Or il suffit d'une promenade en cabriolet sur les hauteurs dominant la ville pour se rendre compte que Toulon, dès maintenant, c'est un formidable morceau à emporter : les Anglais tiennent les forts construits aux deux extrémités de terre qui, telles des pinces de crabe, s'avancent de part et d'autre du port qu'elles enserrent. Leur flotte, nombreuse et bien armée, occupe la grande et la petite rade où elle constitue une gigantesque forteresse ancrée sur place, dont les canons balayent à tous azimuts.

En face de cela, Carteaux montre triomphalement à Napoléon l'artillerie dont il va pouvoir disposer : deux canons de 24, deux de 16 et deux mortiers. Encore tout cela est-il enterré à une telle distance de la flotte anglaise que le nouveau « Commandant de l'artillerie » fait observer que les projectiles se perdront à mi-chemin.

— Mais non, voyons, les pièces sont très bien là, répond Carteaux ; un seul problème : comment porter jusqu'à elles les boulets rouges qui chauffent depuis ce matin dans les deux bastides que vous voyez là-bas ?

Napoléon lève les bras au ciel.

— Mais pourquoi tirer tout de suite à boulest rouges, avant d'avoir tiré des boulets simples pour s'assurer qu'on est à bonne portée, avec des coups d'épreuve ?

— Coups d'épreuve ? Quels coups d'épreuve ?

Napoléon s'énerve, et fait partir quelques boulets froids qui couvrent à peine le tiers de la distance. Carteaux tempête et accuse les « aristos » d'avoir « gâté les poudres ».

Un homme froid et trapu, coiffé du grand chapeau à plumes des représentants en mission, assiste à la scène en silence : c'est Gasparin, plus intelligent et autoritaire que Saliceti. Son opinion est faite : si quelqu'un est capable de prendre Toulon, c'est ce petit capitaine corse. Dès la fin du mois de septembre, Napoléon est le conseiller quotidien des représentants à l'armée, qui « court-circuitent » Carteaux et donnent « au Citoyen Buonaparte » pleins pouvoirs pour amener par tous les moyens le plus d'artillerie possible autour de Toulon, et la concentrer où il veut.

Trois mois de tourbillon. Une activité de tous les instants, fébrile et calme à la fois. De Marseille, où il racle les arsenaux, jusqu'aux moindres emplacements sur les hauteurs, il est partout, calcule, commande, décide. Son plan est simple comme bonjour : aucun assaut d'infanterie ne peut prendre Toulon, puisque les canons de la flotte anglaise le briserait, même si l'on disposait de dix fois plus d'hommes. Mais, si les Français emportent un des points stratégiques d'où l'on domine la rade, et tirent — vraiment à boulets rouges, cette fois — sur la flotte, celle-ci sera contrainte de décamper avant d'être transformée en un immense brasier. Et, une fois les Anglais au large, les royalistes ne pèseront pas lourd... Il a même repéré l'endroit d'où il pourrait opérer ce retournement de situation :

— Prenez le fort de l'Eguillette, et avant huit jours vous entrerez dans Toulon.

25 novembre. Conseil de guerre décisif. Les ordres du Comité de salut public sont apportés par deux nouveaux représentants : Ricord, et le jeune frère de Robespierre, Augustin. Il faut prendre Toulon ou mourir. Entre-temps, on a déjà changé deux fois de commandant en chef : l'incapable Carteaux remplacé par l'incapable Dopet, puis, enfin, par un bon général arrivé la veille, Jean-François Coquille Dugom-

mier, un grand monsieur fort élégant, qui est né « aux Isles du Vent » et s'y est déjà bien battu contre les Anglais; uniforme strict et manchettes brodées — on dirait un officier de l'Ancien Régime. Napoléon se retrouve d'autant plus dans son élément qu'il sympathise d'emblée avec Augustin de Robespierre, ce bon jeune homme doux et gai, tiré à quatre épingles; ainsi, la Révolution, même déchaînée, peut être propre, voire distinguée? Napoléon se sent de plus en plus réconcilié avec elle, d'autant qu'Augustin lui témoigne une attention, un intérêt, dont les conséquences peuvent devenir bien vite nationales. L'Incorruptible, qui monte irrésistiblement vers le pouvoir au milieu d'un entrelacs de conspirations et d'oppositions, a besoin de soldats fidèles pour leur confier les armées.

Et le capitaine Buonaparte vient de s'affirmer, enfin, non seulement tacticien de club ou de polygone, mais entraîneur d'hommes et très brave à son baptême du feu. Il a fait mettre en place plusieurs batteries pour contrebattre les positions anglaises et préparer l'assaut contre elles; il s'est montré à tous les points chauds et n'a pas courbé la tête au vent des boulets. Dieu sait si ses hommes le regardaient à ce moment-là !

Bien vu des chefs, suivi des hommes, il propose, dès ce premier conseil de guerre, son plan pour l'assaut décisif, ratifié sur-le-champ par Dugommier et les représentants.

A partir du 30 novembre, il ne s'agit plus que de se battre à mort, et on se bat. Selon la coutume cette année-là, les députés chargent avec les hommes, sans cacher les panaches qui les désignent aux balles ennemies; un feu nourri, régulier, part des positions aménagées depuis deux mois par Napoléon : la « batterie des sans-culottes », la « batterie de la Convention », et cet endroit qu'il a fait appeler « la batterie des hommes sans peur » parce qu'il y voulait beaucoup d'hommes. On s'y bouscule. Premier témoignage de sa psychologie militaire.

Les Anglais contre-attaquent trop vite et mal. Ils tombent à leur tour dans les plans de feu de l'élève de Brienne et d'Auxonne qui vérifie l'illumination de ses dix-huit ans, quand il avait découvert l'artillerie : maintenant, c'est elle qui va gagner les guerres. Au tour des Français, maintenant, d'attaquer l'Eguillette, puis le Bala-guier, puis le fort Mulgrave... A chaque progres-sion, on emporte les canons brûlants pour les enterrer deux cents pas plus loin. A la suite, on transporte les boulets disponibles, sans trop regarder au calibre, dans les gros couffins de paille tressée; on enfourne la poudre, les projec-tiles, la mitraille, dans les gueules béantes; on approche la lance à feu, toujours allumée, de la « lumière », c'est-à-dire du trou qui permet d'enflammer la charge par l'arrière du canon; tout part. A chaque décharge, les canon-niesr risquent d'être foudroyés par la foudre qu'ils veulent envoyer sur l'ennemi : et si le canon explosait? On s'en moque un peu ! On les tient ! Nous, les petits bergers, les pay-sans, les cordonniers, les pêcheurs, nous chas-sons de Toulon toute cette lie des nobles, des riches, des traîtres qui nous maintenaient en esclavage depuis toujours. Et par-dessus le marché, ces Anglais, non mais, qu'est-ce qu'ils fichent en Méditerranée? A mesure qu'on prend position sur des plates-formes d'où l'on peut foudroyer ces vaisseaux insolents qui nous barrent toutes les mers, on leur envoie de petits soleils condensés qui les enflamment et les coulent. Joie sauvage. En bas, sous le pâle soleil d'hiver ou à travers les brumes, on devine le grouillement de Toulon crucifiée par trois mois d'occupation : sept mille patriotes étouffés, étranglés, fusillés dans les geôles, ou simplement noyés dans les darses. Une foule éperdue qui se rue maintenant vers les quais, les collaborateurs qui devinent que les Anglais vont s'en aller et qui veulent partir avec eux. Le rivage inabordable, encombré de bagages, couvert de femmes, d'enfants et de blessés qu'on rejette impitoyablement : les Anglais emmènent les hommes valides, capables de se battre plus tard, mais ils n'ont que faire de bouches inutiles.

Plus de bateaux marchands dans les rades : ils sont partis les premiers. Même les vaisseaux de guerre ont été mouiller plus loin, près de la Grosse Tour, pour ne pas être piégés au port. Les embarcations qui leur amènent les derniers fuyards font des trajets d'une longueur désespérante, et ceux qui sont surchargés coulent en route. Qu'est-ce que c'est que ces fusillades qu'on aperçoit soudain d'en bas, les éclairs, les fumées? Les vaincus se tirent dessus, maintenant? On voit de petits points d'écume dans la mer : des familles entières que les pêcheurs ont jetées à l'eau après les avoir chargées à grand prix. Et ces décharges de mousqueterie, c'est un détachement de troupes napolitaines que les Anglais ont oubliées à terre, et qui font feu sur les dernières chaloupes, pour les obliger à revenir les chercher. Le naufrage d'une ville.

Le 17 décembre, Napoléon a son cheval tué sous lui, au débouché du village de La Seyne; une heure plus tard, il reçoit dans la cuisse un coup de cette courte lance portée par les bas-officiers d'infanterie et qu'on appelle un esponton. A peine une éraflure; il ne descend même pas de cheval. Un chirurgien de la marine lui fait un pansement sur place. Une blessure heureuse comme celle-là, c'est une chance de plus. La veille, le vent d'un boulet l'avait projeté à terre, dans une redoute où il dictait des ordres à un sergent. Ce dernier, couvert de terre et de sable par l'explosion, s'était redressé en s'époussetant avec un grand sourire.

— Bon ! je n'aurai pas besoin de sable pour sécher l'encre, mon capitaine !

Napoléon rit, le remarque, lui demande son nom : Andoche Junot, quel drôle de prénom ! C'est le début d'une amitié.

Avant, après, on ne sait plus (trois jours de combat sans dormir, on ne s'occupe plus de l'heure, ni de savoir s'il fait jour ou nuit). Napoléon est en train de montrer à des canonniers improvisés comment on fait marcher les pièces. (On forme les artilleurs sur place, où est le temps d'Auxonne où l'on passait six mois à les instruire?) Un obus anglais arrive de plein fouet sur la batterie; tout le monde est par terre de nouveau, et on se relève en ne sachant plus très bien si l'on est mort ou vivant. En fait, ce pauvre type est mort, ou ne vaut guère mieux; il se tord au sol avec le ventre ouvert. Il tient encore dans ses mains crispées l'écouvillon, cette espèce de long balai-brosse avec lequel on nettoie l'âme des pièces avant de les recharger. Napoléon le lui arrache et se met à servir la pièce lui-même en attendant la relève; il a les mains écorchées : voilà des heures qu'il se brûle et qu'il se blesse sur les canons. Il attrape la gale du canonnier, mais ne s'en apercevra que plus tard, et en souffrira par accès toute sa vie. Sans doute s'agit-il d'ailleurs d'une maladie de peau plus grave que la gale.

Quelle importance? Napoléon aurait payé bien plus cher, d'un bras, d'une jambe, ce qui se passe le 18 décembre : la mer, très loin, couverte de voiles déployées. Une féerie blanche et rousse à perte de vue, ponctuée par les dernières lueurs des sabords crachant l'adieu des canons anglais. Ils s'en vont !

Le 19 décembre, les forces républicaines font leur entrée dans une ville exsangue, où l'arsenal brûle, où tout le monde ou à peu près se cache, parce que l'heure de la vengeance est venue, et qu'elle sera sanglante à la mesure du sang versé par les vaincus. On ne se faisait pas de cadeaux en ces temps-là.

Napoléon connaît quelques heures de vraie revanche : il a tenu sous ses canons ces royalistes, ces privilégiés qui avaient mutilé sa jeunesse et venaient, en Corse, de rejeter les Buonaparte hors de leur patrie. Mais ce n'est pas tant cela qui le réjouit : il n'est pas de nature vindicative au-delà de la victoire. Il tourne le dos au massacre que font, sous la protection des soldats, les grands carnassiers terroristes, Fouché, Barras, Fréron, en dépit des efforts courageux d'Augustin de Robespierre. Il ne perd pas non plus de temps à des efforts humanitaires : cela n'est pas davantage dans son tempérament. Il s'affirme, dès cette première bataille, tel qu'il sera dans plus de cent autres : ni cruel ni sensible. Il s'emploie à reconnaître le port, à le fortifier immédiatement au cas d'un retour offensif de l'ennemi, à maintenir la discipline parmi ses hommes, et il attend tranquillement les récompenses qui vont venir.

Le jour de Noël 1793, le citoyen Buonaparte est nommé général de brigade par les représentants. Ce qu'il aurait en vain attendu toute sa vie de Louis XVI lui a été donné en deux mois par un Robespierre.


La Corse, à vingt-quatre ans, lui avait tout refusé, c'était l'échec; la France, par la Révolution, lui apporte un succès, une promotion démesurée : un général d'artillerie commande en moyenne à trois mille hommes.

Toute la famille sort du cauchemar. Lui d'abord : non seulement général, mais promu inspecteur des armées sur le littoral méditerranéen; une solde de 15 000 livres par an, (environ 60 000 francs 1969); des aides de camp;

des honneurs; Joseph est embauché commissaire de la Marine à Marseille et prépare des approvisionnements pour une reconquête éventuelle de la Corse; Louis est nommé sous-lieutenant dans une compagnie de « canonniers sédentaires » (défense des côtes), à Saint-Tropez, qui vient d'être rebaptisé, à la grecque, Héraclée; il dépend directement de Napoléon. Ce dernier, déplaçant rapidement le champ de ses inspections vers la frontière italienne, loue pour sa mère et les enfants une grande bastide rose et jaune, près d'Antibes, avec de grosses tours rassurantes : le Château Sallé; pas grisée du tout, madame Lætizia emmène ses filles laver le linge dans la petite rivière qui coule en bas, le Riou. Mais la bande de jeunes officiers qui commence à remuer autour de Napoléon remarque vite ces trois filles souriantes dont les deux dernières sont si jolies. Voilà Junot qui tombe amoureux de Paulette — il ne sera pas le dernier. Même les graves représentants du peuple viennent se délasser entre deux séances du tribunal ou du club des Jacobins, auprès de ces sourires-là. Quant à Lucien, devenu un jeune orateur myope et verbeux, un peu voûté — le moins beau des Buonaparte, mais sans doute le plus sincère —, il ne se cantonne pas dans les fonctions de garde-magasin de l'armée que Napoléon, un peu dédaigneusement, lui a fait donner, et il entreprend de subjuguer la commune de Saint-Maximin —, pardon, de Marathon, c'est d'ailleurs lui qui a trouvé son nouveau nom. Il y réussit tellement bien qu'il séduit Catherine Boyer, la sœur de l'aubergiste du coin, et que Brutus-Lucien Buonaparte est le premier de la famille à se marier, dès le mois de mai, avec cette brave fille brune, douce, obstinée, qui ne sait ni lire ni écrire, mais qui sait l'aimer de tout son cœur; il n'a pas vingt ans. Les siens sont navrés, mais c'est le printemps de l'an II, où n'importe qui peut faire à peu près n'importe quoi.

Napoléon ne s'attache pas aux soucis de famille, dès qu'il a dépanné provisoirement les siens. A partir de Nice, le long de cette côte franco-italienne où seuls des cordons imprécis de douaniers séparent encore la France du Piémont, allié aux Autrichiens, il commence à s'enfoncer vers Gênes, vers Turin, en reconnaissances qui sont tantôt des rondes, tantôt carrément des raids d'espionnage, avec une patrouille de cavaliers, ou déjà la petite bande d'amis — les premiers vrais amis de sa vie, ceux qui l'admirent — qui tentent de suivre son destin depuis Toulon : Junot, donc, mais aussi Desaix, Leclerc, Marmont, Muiron. Il rencontre, dans le fond d'une salle d'auberge ou même dans le lit d'un torrent asséché, quelques hommes aux allures de loup : les premiers jacobins italiens, qui lui fournissent des renseignements d'après lesquels il griffonne des plans — son plan. Son idée : l'Italie.

Il a le pied à l'étrier, mais ne va certes pas demeurer sur place à s'occuper de fortifier les côtes, de Marseille à Nice. Où qu'il soit, quoi qu'il ait réussi, une énorme part de rêve vient aussitôt se superposer à la réalité — et il essaie de la vivre. Si le hasard l'avait projeté sur le

Rhin, il tirerait des plans pour envahir l'Allemagne; mais puisqu'il est en marge du Piémont... C'est tant mieux, d'ailleurs : il parle la langue, il a déjà des brassées d'informations sur l'Italie du Nord — et quelle revanche en perspective pour un Buonaparte que d'entrer à Gênes à la tête d'une armée victorieuse !...

Il soumet son plan dès avril à Augustin de Robespierre. Ce dernier l'impose presque sans retouches au chef de « l'armée d'Italie » qu'on vient de former alors, Dumerbion : par Oneglia et Montenotte, on marchera sur Gênes, on violera la neutralité, très fictive, de la Sérénissime république de Gênes, on remontera dans le ventre des Piémontais et des Autrichiens, qui occupent Milan. Les patriotes italiens nous tendront la main. L'Italie du Nord prendra feu... Cela, c'est le rêve; à Paris, même si Robespierre l'aîné était disposé à favoriser la chose, les plans d'opérations militaires dépendent de Carnot, qui, en bon homme du Nord, ayant fait toute sa carrière dans les places des Flandres, se méfie profondément de l'Italie et ne veut en aucun cas laisser une armée s'y empêtrer. Il ne distrait donc presque rien de ses forces en hommes et en munitions pour ces quelques bataillons pompeusement dénommés « Armée d'Italie ».

Il y a quand même une ébauche, une esquisse entreprise en avril et mai — on dit maintenant germinal et prairial. Même avec quelques bataillons, Napoléon se sent le courage de commencer sa tentative, ou plutôt de la faire commencer par Dumerbion, dont, au titre de « Commandant de l'artillerie », il joue l'éminence grise — et Carnot autorise ce qu'il considère comme une petite diversion, en marge de l'immense effort des soldats de l'an II qui va bientôt aboutir à la victoire de Fleurus, et à la conquête de la Belgique.

Décalage, une fois encore, entre Napoléon et les événements de France. A Paris, le rythme de la Révolution s'accélère vertigineusement, Robespierre abat successivement Hébert et les Enragés, Danton et les Indulgents. La guillotine fonctionne en permanence sur la « Place du Trône renversé ». C'est le tutoiement obligatoire, la fête et la mort, la folie, la grandeur et la fureur. Des siècles d'histoire se jouent entre quelques pavés. Vers Nice, le général Buonaparte escarmouche contre les Sardes et les Génois à la tête d'un ramassis confus d'hommes montés sur des chevaux ou des mulets. Robespierre et Saint-Just explorent l'avenir des hommes; Buonaparte s'empare d'Oneglia, une petite bourgade morte; Hoche et Marceau écrasent la Vendée; Buonaparte pousse quelques lieues plus loin, à Garessio. Et puis il doit bien se rendre compte qu'il ne pourra pas continuer cette fois. D'abord, il n'est pas commandant en chef; ensuite il n'a pas de forces suffisantes; enfin, le Grand Comité (Carnot, toujours) le freine tout net — et Augustin de Robespierre, cette fois, n'y peut rien. Il va devoir bientôt remonter à Paris, pour aider son frère, qui pressent une nouvelle conjuration. L'armée d'Italie est morte sitôt née. Le décalage s'accentue; mais il y a quand même un certain écho entre Paris et Nice. Sans s'être jamais vus, Maximilien de Robespierre et Napoléon de Buonaparte connaissent, chacun, une brève détente au même moment. Robespierre triomphe quelques heures à Paris à la Fête de l'Etre Suprême — et le monde entier le croit devenu maître de la France. Napoléon, puisque la guerre fait trêve de son côté, se détend et se distrait en se lançant, faute de l'Italie, à la conquête des Clary.

Il n'est pas seul : Joseph prend le départ sur la même ligne que lui. S'agit-il seulement de fleureter — comme on écrivait alors — avec les deux filles de ces gros négociants marseillais, pour le plaisir ? Ou bien s'agit-il d'une chance exceptionnelle offerte aux Buonaparte, fraîchement ruinés, de redorer leur blason et de remplir leur bourse en liant leur sort à celui d'une famille de la grande bourgeoisie marseillaise ? Les deux aînés n'ont pas dû s'attarder à éplucher leurs mobiles. Un peu de hasard, un peu de tendresse, un peu de calcul — et chacun finalement y trouvera son compte. Les Buonaparte avaient connu les Clary par des relations communes dès leur débarquement, et étaient devenus leurs obligés : prêt d'argent, hébergement, denrées procurées en douce. Mais les Clary avaient fait un bon placement en aidant cette tribu errante : quand Marseille avait été réoccupée par les troupes de la Convention, les Buonaparte s'étaient portés garants de leur loyalisme auprès de leurs amis jacobins. Les Clary pouvaient donc poursuivre leurs affaires à l'ombre de la gloire toute fraîche du vainqueur de Toulon. Joseph, résidant à Marseille habituellement, trouvait chez eux table ouverte. Il est coureur, avec une certaine nonchalance qui lui réussit auprès des femmes. Il s'intéresse donc, par habitude, aux deux filles de la maison : l'aînée, Julie, petite et noiraude, la cadette, Désirée, plus épanouie quoique sans éclat. Napoléon, qui a lui aussi son couvert chez les Clary quand il passe, ne tarde pas à s'apercevoir du manège de son frère et se pique au jeu, à l'occasion du bref répit que lui laisse l'arrêt de sa tentative vers l'Italie. Aurait-il vraiment courtisé Désirée, si Joseph ne s'était pas à moitié fiancé avec elle ?

Elle n'est pas belle ; il n'est pas beau : maigre comme un clou, son visage tout jaune, ses longs cheveux noirs et fous n'en font pas un séducteur ; à côté de lui, Joseph, de plus en plus bellâtre, semble avoir toutes les chances. Mais Désirée est une des premières femmes à s'apercevoir de tout ce qui passe de magnétisme, d'angoisse bien cachée, de tristesse déjà profonde dans le regard du « chat botté ». Elle ne protestera pas quand Napoléon décidera un jour, comme s'il était déjà le chef des deux familles :

— C'est moi qui épouserai Désirée ; Joseph épousera Julie.

Julie non plus ne proteste pas : le calme de Joseph la rassure. Elle se tait. Elle se taira sa vie entière. Entre Napoléon et Désirée, ce qui commence est plus tumultueux, plus sincère. Ce n'est pas la passion, mais cela y ressemble de près. Comme les opérations ne laissent pas encore de répit au général, c'est Joseph qui se mariera le premier. Les parents Clary acceptent ce garçon doué, mais presque gueux, comme gendre, en ce mois de messidor an II où l'Europe est sûre que Robespierre va devenir dictateur, clore la Révolution et inaugurer une ère nouvelle.

Joseph et Julie enregistrent les premiers actes de leur mariage le 9 thermidor à la mairie de Marseille. Quel ouf ! chez les Buonaparte, surtout après le piètre mariage de cette mauvaise tête de Lucien ! Quand Napoléon aura épousé Désirée, ils seront doublement liés à des millionnaires...

...La nouvelle de la chute et de l'exécution des frères Robespierre, en ce même 9 thermidor, arrive le 14 à Cuges, où l'on célébrait le repas de noces de Joseph sous les pins. Une fois de plus, c'est comme si le sol se dérobait devant les pas de Napoléon, après une année de revanche et de succès.

Tout est à recommencer.

# Le piétinement

*Antibes-Nice-Marseille-Paris : quatorze mois
(10 thermidor an II - 12 vendémiaire an III)*

« Monsieur de Pontécoulant
vit alors arriver à son sixième
étage du Pavillon de Flore l'être
le plus maigre et le plus singulier
qu'il eût vu de sa vie. »

(Stendhal : *Mémoires sur
Napoléon.*)

Le piétinement

Ils ont bonne mine, les Clary, qui se réjouis-
saient d'avoir lié le sort de leur famille avec
celui de ces Corses soudain apparus à Marseille
pour leur apporter la bénédiction des Robespierre !... Étienne Clary, l'aîné des frères (il
sont sept enfants), celui qui aide sa mère veuve
comme chef du clan, restera trois semaines
sans adresser la parole à Joseph. Les gazettes
arrivent par paquets entiers et provoquent sur
toute la côte une des plus spectaculaires rota-
tions de girouettes de l'Histoire. Les orateurs
des clubs, les Thrasybule, les Anaxagoras, les
Gracchus — et un certain Brutus Bonaparte —
qui déclamaient deux jours plus tôt de longues
élégies à l'Incorruptible, au grand Maximilien,
doivent immédiatement virer à cent quatre-
vingts degrés et improviser dans l'instant des
diatribes contre « la faction liberticide du
monstre Robespierre ». La mère Clary, une
grande bourgeoise triste et sévère sous ses
voiles de dentelle noire, et qui arbore la moue
caractéristique des femmes d'argent, tente de
convaincre Julie de rompre un mariage pure-

ment civil. Mais la douce petite Julie, tranquillement têtue, tient à son beau Joseph qui sait si
bien lui parler doux. Elle le prend par la main,
l'emmène dans une campagne, à Saint-Jean-du-
Désert, où un « prêtre non jureur » les rejoint
et les bénit clandestinement. Les voilà unis à
tout jamais aux yeux de l'Église — et de la
mère Clary. Et même si Napoléon sombre
avec la fortune des Robespierre, les Buonaparte pourront toujours s'appuyer sur celle des
Clary. Mais, pour un temps, on renferme
Désirée à la maison, et on la décourage fortement de fréquenter le petit général.

Celui-ci non plus n'a pas bonne mine, lui
qui croyait enfin faire le bon calcul de sa vie et,
après avoir eu tort de miser sur Paoli, avoir eu
raison de miser sur Robespierre... Dans la
débâcle générale, il reste relativement digne,
et ne s'associe qu'avec réserve au déchaînement
général contre les vaincus. Il écrit à un ami :
« J'ai été un peu affecté de la catastrophe de
Robespierre que j'aimais et que je croyais pur,
mais, fût-il mon frère, je l'eusse moi-même
poignardé s'il aspirait à la tyrannie. » Ici, le
conditionnel marque une réserve qui montre
bien que Napoléon n'endosse pas aveuglément
toutes les accusations des pamphlets.

Mais il est plongé brutalement dans une
situation personnelle si grave qu'il n'a guère
le loisir de s'attarder à des analyses politiques,
ni même de s'occuper de Désirée. Hier, il était
« l'homme qui monte » dans l'armée, et tout
le monde, y compris les représentants du peuple, le ménageait ou le flattait; aujourd'hui,
il n'est plus que « l'homme de ceux qui sont

tombés ». On le croise comme si on ne le voyait pas, on ne lui serre plus la main, on ne le salue plus, on ne lui demande plus ni ordres ni conseils. Il sent monter autour de lui une marée d'indifférence et d'hostilité, et, même chez ceux qui lui parlent encore, cet apitoiement gêné qu'on accorde aux mourants. Rude et nouvelle expérience pour ses vingt-cinq ans : voilà les hommes quand l'un d'eux connaît la défaite. Il s'en souviendra.

Il espère que Ricord le défendra : Ricord est lui-même convoqué en toute hâte à Paris pour se justifier devant les nouveaux maîtres, car il est fortement compromis avec les robespierristes. Il part sauver sa tête, et n'a pas le temps de jouer les saint-bernard. Bon, mais il reste un recours à Napoléon : l'appui de Saliceti, son compatriote, son compagnon de lutte en Corse et à Toulon, qui a su, lui, flairer le vent et ne pas trop « se mouiller » avec Augustin de Robespierre. Saliceti va au-devant des deux nouveaux députés envoyés en mission par les thermidoriens pour « purger » le Midi : Albitte et Laporte. Napoléon écrit à Saleceti pour lui demander de le défendre, de souligner qu'après tout il n'a joué depuis six mois qu'un rôle exclusivement militaire et qu'il n'a pas trempé, comme son frère Lucien-Brutus, par exemple, dans l'agitation du club... Saliceti ne répond pas, ne le reçoit pas; mauvais signe. Un Corse du même bord va-t-il laisser tomber un autre Corse? C'est déjà fait. Le jour même où Saliceti a su les événements du 9 thermidor, il a écrit au nouveau Comité de salut public pour signaler la liaison entre Buonaparte et les Robespierre et pour se plaindre du général, qui, affirme-t-il, récemment encore, se prenait pour un souverain à son quartier général, « et avait à peine daigné me regarder du haut de sa grandeur »... Il est d'ailleurs bien possible que Saliceti ait été vraiment vexé par Napoléon qui, grisé par sa promotion rapide avait un peu tendance à « snober » ses anciens protecteurs.

Non seulement la disgrâce, mais l'arrestation est dans l'air; elle monte au loin, mille signes l'annoncent. Au moins Napoléon n'est-il pas étonné quand on lui donne connaissance d'un décret pris à Barcelonnette par Albitte, Laporte... et Saliceti, le 19 thermidor, « Au nom du Peuple français » :

« Les Représentants du Peuple près l'Armée des Alpes et d'Italie... considérant que le général Buonaparte, commandant en chef l'artillerie de l'armée d'Italie, a totalement perdu leur confiance par la conduite la plus suspecte et surtout par le voyage qu'il a dernièrement fait à Gênes, arrêtent ce qui suit :

« Le général de brigade Buonaparte... est provisoirement suspendu de ses fonctions. Il sera, par les soins et sous la responsabilité du général en chef de ladite armée, mis en état d'arrestation et traduit au Comité de Salut Public à Paris, sous bonne et sûre escorte. Les scellés seront apposés sur tous ses papiers... »

Deux gendarmes viennent le cueillir à son quartier général de Nice. Sa fierté en subit un coup terrible. Et, pendant quelques heures, il peut se croire perdu : s'il est emmené à Paris, c'en est fait de lui. L'étrange coalition de terroristes sanglants, d'affairistes pourris et d'honnêtes gens sincèrement alarmés par la montée de Robespierre vers la dictature, qui viennent de faire le 9 thermidor, prétend suspendre la Terreur, mais, en attendant, procède à de véritables boucheries de robespierristes sous le couperet de la guillotine. On poussera parmi eux l'ami d'Augustin, sans s'attarder à la procédure. Un retour imprévu du balancier qui a tant promené sa jeunesse de la Corse à la France semble lui promettre la dernière injustice du destin : rejeté par la Corse juste avant d'y être massacré, il va être rejeté... et « raccourci » par la France révolutionnaire à laquelle il s'était confié.

Mais la panique ne dure que quelques heures, et il échappe très vite au pire. D'abord parce que le ressort joue une fois de plus en lui : une sorte de verrou intérieur qu'il tire automatiquement devant la dépression dans les moments les plus sombres. Napoléon ne sait pas, n'a jamais su et ne saura jamais désespérer. Donc, il ne s'abandonne pas, et cela encourage la petite poignée de gens qui l'aiment encore à ne pas l'abandonner. Ces moments-là sont aussi ceux où l'on compte les vrais amis.

D'abord, les siens font bloc autour de lui : Joseph et Julie mobilisent le milieu commerçant, par les Clary; ses sœurs multiplient les grâces et les cajoleries envers leurs amis officiers et leur font un peu honte de « laisser tomber » leur chef; un ancien noble et toujours riche propriétaire de Villefranche, le comte Laurenti, se porte caution pour lui, c'est-à-dire qu'il demande que Napoléon soit incarcéré à son domicile, et non au Fort Carré d'Antibes. Sa captivité se bornera donc à ronger son frein dans ce petit village de pêcheurs, tandis qu'une sentinelle intimidée monte la garde à la porte du comte Laurenti.

Quant à lui, il adopte une attitude digne et combative qui en impose : « Le sentiment de ma conscience soutient mon âme dans le calme, mais les sentiments de mon cœur sont bouleversés, et je sens qu'avec une tête froide, mais un cœur chaud, il n'est pas possible de se résoudre à vivre longtemps dans la suspicion. » Il écrit aux trois représentants une lettre vive et forte, pleine de faits, de dates, réfutant point par point toutes les accusations. Pour ce fameux voyage à Gênes, notamment, qu'on lui impute maintenant comme s'il avait été se vendre au Sénat de la ville, il exhibe un ordre de Ricord lui dictant point par point sa mission là-bas, et prouvant qu'il n'y a été que pour préparer les voies à une invasion.

Les représentants arrivent à Nice le 25 thermidor, et passent au crible les papiers saisis chez lui. Albitte et Laporte ne sont pas de mauvais diables, et savent que la République, à peine soulagée par la récente victoire de Fleurus, va toujours avoir besoin de bons officiers; Saliceti, qui n'aurait pas remué le petit doigt pour sauver Napoléon, n'insiste pas non plus pour qu'on lui coupe la tête. Or on ne trouve rien, mais rien de rien, qui soit une preuve de « conspiration » dans le comportement du suspect. Le 3 fructidor, les députés, « ayant constaté qu'il ne se trouve nulle pièce compromettante dans les papiers du Citoyen Buonaparte, mis en état d'arrestation par mesure de sûreté générale après le supplice du conspirateur Robespierre, ... prenant en considération l'utilité dont peuvent être à la République ses connaissances militaires et locales... arrêtent qu'il sera provisoirement mis en liberté pour rester au quartier général ».

Ce n'est pas encore la réhabilitation : il demeure un suspect, puisqu'on lui précise « qu'il devra, par son dévouement à la chose publique et l'usage de ses connaissances, reconquérir la confiance de ses chefs ». Et ce n'est certes pas gai pour lui de revenir dans une situation de délinquant repenti à cet état-major dont il était l'animateur quinze jours plus tôt, sous la surveillance du brave Dumerbion qui est bien contrarié, puisqu'il avait lui-même contresigné l'ordre d'arrestation de son commandant d'artillerie... Mais il échappe au pire : la guillotine, la forteresse et même la destitution. En somme, on ne lui demande que de se faire un peu oublier.

Napoléon, se faire oublier longtemps ? Comment s'y prendrait-il ? Quinze jours à peu près tranquilles, c'est tout ce dont il est capable; et puis il fournit à Dumerbion un plan nouveau pour une petite opération offensive par-dessus la rivière du Ponant, qui aboutit à un combat victorieux, celui de Cairo, qui terrifie assez les

Génois pour les faire rester neutres. Et puis, parce qu'il est là et que sa valeur parle par elle seule au milieu des nullités prétentieuses, Saliceti, sans rancune pour le mal qu'il lui a fait et la mort à laquelle il a failli l'envoyer, le charge des préparatifs d'une expédition maritime et militaire destinée « à délivrer la Corse de la tyrannie des Anglais », que Paoli s'est en effet empressé d'accueillir dans son île. Voilà de quoi l'occuper pour l'automne.

Mais tout recommence à flotter en France, et dans l'armée du Midi, à mesure que se relâchent les liens de fer tissés pendant la Terreur par le Grand Comité de l'an II. On ne sait plus exactement qui commande à qui, et Napoléon voit même des officiers canonniers venir lui demander de parapher des ordres qu'il n'a plus pouvoir de signer. Il mène donc une vie assez flottante lui aussi, pendant ces semaines étranges, moitié travail, moitié vacances, pour lui et pour ce pays encore secoué de soubresauts après trois ans de convulsions — mais on dirait déjà aussi que la France s'étire et bâille avant de se rendormir. La Révolution est-elle finie, oui ou non ? A Paris, il y a encore une lutte indécise entre les derniers Montagnards qui veulent la continuer, Billaud, Romme, Vadier, et les hommes d'argent qui ne songent plus qu'au profit : Barras, Tallien, Fréron. Le tout, pour Joseph et Napoléon, échaudés par la leçon, c'est de ne pas trop se compromettre avec l'un ou l'autre camp, mais aussi de les ménager tous les deux. Voilà pourquoi le général fait bonne mine à l'un des nouveaux messieurs de Paris, le conventionnel Turreau qui vient d'épouser une femme beaucoup plus jeune que lui, et l'emmène en voyage de noces sur la côte. Au fait, ne serait-ce pas plutôt à cette jeune femme qui semble s'ennuyer quelque peu que Napoléon fait deux doigts de cour?

Il a changé, nettement, de ce point de vue, depuis l'alerte de thermidor. Si le ressort de la volonté n'est nullement atteint chez lui, le ressort moral a faibli, un peu comme celui de son père après la conquête de la Corse. On le dirait prêt à n'importe quelles concessions, n'importe quelles dissimulations pour éviter le retour de ces moments où tout s'écroulait, et même pour atteindre enfin à tout prix une réussite, n'importe laquelle, qui compense les chocs successifs de cette jeunesse en dents de scie.

Il est devenu un « arriviste ». Où est le fier élève de Brienne, ou même le lieutenant de Valence qui ne craignait pas de heurter les opinions des gens influents? Il amuse tant la petite Turreau qu'il la promène en calèche, en compagnie de son mari bien sûr, dans les admirables paysages du col de Tende, tout roussis par l'automne, entre la France et l'Italie. Ils sont accompagnés d'un peloton de hussards. Et comme Napoléon aperçoit au loin un petit groupe d'hommes jaune et vert, des Piémontais en patrouille, il lui vient « subitement à l'idée de donner à Madame Turreau le spectacle d'une petite guerre, et j'ordonnai une attaque d'avant-poste. Nous fûmes vainqueurs, il est vrai, mais évidemment il ne pouvait y avoir de résultat : l'attaque était une pure fantaisie, et pourtant quelques hommes y restèrent. Aussi, plus tard, toutes les fois que le souvenir m'en est revenu à l'esprit, je me le suis fort reproché ».

Ces quelques hommes tués par son ordre pour les beaux yeux d'une petite bonne femme, c'est la première vilaine action de Napoléon — signalée par lui-même, avec quelque remords, dans le *Mémorial*.

Elle ne lui a pas été inutile; Turreau aidant, le général reprend insensiblement, de fait sinon de droit, sa place de conseiller et d'expert auprès de Dumerbion en octobre, pendant une série d'escarmouches qui engagent à nouveau son armée assez loin au-delà de la frontière italienne. Il y a même une ébauche de manœuvre pour tourner « par ses derrières » une forte armée autrichienne qui se replie vers Dego. Napoléon s'énerve un tout petit peu, se croit revenu aux beaux jours du printemps, voudrait qu'on leur pousse l'épée dans les reins... Eh là ! les représentants coupent court : ils sont terrifiés par la responsabilité d'entreprendre une opération d'envergure sans l'accord de Carnot, qui est demeuré, à Paris, le maître de la guerre.

Du côté de « l'expédition de Corse », est-ce que cela marcherait mieux ? Non; autre déception. D'abord, on ne sait même plus si c'est pour libérer la Corse que le gouvernement fait rassembler des hommes et des vaisseaux à Toulon. Saliceti est reparti à Paris et, en son absence, tout le monde tire cette petite force à hue et à dia : et si on la débarquait en Toscane ? sous Rome ? à Naples ? L'amiral Martin, un de ces chefs timorés dont notre marine est gratifiée après l'émigration ou l'exécution des meilleurs, ne veut pas entendre parler de sortir un convoi du port s'il n'a pas d'abord éliminé avec ses navires de combat le danger de la flotte anglaise qui le nargue de près. Tout l'hiver se passera en tâtonnements et en batailles navales confuses, pendant que les hommes rouspètent parce qu'on les embarque, on les débarque et on recommence dix fois. En mars, on renoncera définitivement à les utiliser par mer. Napoléon aura travaillé six mois pour rien.

Seule consolation : Désirée. Il la retrouve chez les Joseph, à Antibes, où Madame Clary la laisse à nouveau fréquenter Napoléon, puisque celui-ci a si bien su remonter la pente, et qu'un général de brigade, après tout... L'intrigue reprend. On ne sait trop pourquoi Napoléon se met à l'appeler par son second prénom : Eugénie, peut-être parce que ça fait plus romantique. Dès septembre, il lui écrit de la frontière italienne des lettres d'amour un peu pédantes, un peu guindées, les premières qu'on ait de lui :

« Le charme de votre personne, de votre caractère, a gagné insensiblement le cœur de votre amant... » (Il parle ainsi de lui-même, mais au sens du XVIII$^e$ siècle, où amant voulait souvent simplement dire amoureux.) « Vous ne serez pas surprise que je déjoue l'éloignement en vous épanchant mon âme... Je ne penserai que plus souvent à Eugénie, mais elle, dans l'âge et du sexe (*sic*) de l'inconstance, partagera-t-elle ma solitude, mes peines, mon amour ?... »

Il l'agace, il la tourmente, il prétend à la fois la séduire, la conseiller, la cultiver. Il est tour à tour moralisant et enveloppant. La pauvre enfant, qui n'a que seize ans et, comme sa sœur, prend les choses du cœur avec un sérieux profond, devient de semaine en semaine plus prise à ce jeu, et ne sait trop à quel saint se vouer, car il ne parle plus de mariage. Tout l'hiver se passera à ce marivaudage par lettres.

Mais le printemps de 1795 vient enfin, et ils se retrouvent tous deux pendant des jours et des jours à la bastide de Montredont, qui appartient aux Clary. Déçu par les affaires militaires et politiques, songeant à nouveau à quitter l'armée, Napoléon peut se consacrer à ses amours. Au-delà de la combinaison d'argent, il est sincèrement touché par cette petite fille frêle, étroite de hanches et de poitrine, au nez retroussé, à la peau fine, aux yeux bruns expressifs et au sourire frais.

C'est décidé : le 2 floréal an III (21 avril), on célèbre à Marseille les fiançailles officielles de Napoléon Buonaparte et de Désirée Clary.


...Ils se sépareront le 8 mai. Sans avoir eu le temps de fixer une date pour la noce. Voilà ce que c'est que d'être militaire, et de n'être plus dans les faveurs des bureaux de Paris ! Alors qu'il se prépare à regagner la frontière italienne, une dépêche impérative le convoque à Paris : on vient de procéder à une réorganisation radicale des états-majors, en prévision de la nouvelle campagne qui va à nouveau embraser les frontières. Dans le cadre de ce grand chambardement, on mute Buonaparte de l'armée des Alpes à l'armée de l'Ouest, c'est-à-dire aux forces qui achèvent d'écraser les royalistes insurgés en Bretagne ou en Vendée. Ce n'est pas encore une brimade : il conserve son grade et on lui laisse prévoir un commandement important. Mais ce n'est pas une gâterie : son rêve italien est cassé; et, au lieu de chercher la gloire contre les étrangers, on l'invite à s'illustrer dans une guerre civile. Il vient d'en tâter, d'abord en Corse, puis devant Toulon; rien ne peut lui déplaire davantage. Il obéit donc à la convocation, et prend la poste vers Paris, mais bien résolu à tout faire pour ne pas en partir en direction de l'Ouest. Il fait le compte des amis qu'il a encore là-bas, dans les deux camps qui sont justement en train de s'expliquer pour de bon : ce mois de floréal, c'est la pause entre les deux dernières grandes émeutes parisiennes avant longtemps, celle de germinal et celle de prairial de l'an III. Une première fois, les survivants des terribles sections révolutionnaires avaient tenté de changer le cours des choses et d'imposer des mesures sociales à une Convention exténuée. L'émeute avait fait long feu, mais rien n'était encore vraiment joué. Paris, la France, le monde retiennent leur respiration. Un petit nombre d'hommes résolus demeurent groupés sur les bancs de la Convention pour s'opposer à l'invasion de l'argent-roi, et peuvent encore s'appuyer sur un nouveau soulèvement populaire. La Révolution n'est encore qu'à demi enterrée. Napoléon part vers une capitale dont il ne sait pas, dont personne ne sait entre quelles mains elle se trouvera quand il y parviendra.

Est-ce pour cela qu'il prend le chemin des écoliers? Pour laisser les choses se décanter sur place avant son arrivée, et ne pas se trouver pris dans une bagarre où il serait contraint de prendre parti? Ou bien seulement parce qu'enfin il peut se détendre, retrouver la douceur de ses voyages d'autrefois et oublier les trois années de tension constante et de drames successifs par lesquelles il vient de passer? Ou encore parce que c'est la première fois que la joie de l'amitié se mêle à celle de l'évasion? Il n'est pas seul. Non seulement il emmène son frère préféré, Louis, qui est devenu aussi un peu son ami, mais Junot l'accompagne également, ce jeune et beau garçon fasciné par l'ascendant de son général et qui ne conçoit plus de faire fortune en dehors de lui. Et quand ils font une étape de quelques jours à Châtillon-sur-Seine, dans un joli petit manoir où l'on dirait que le temps s'est arrêté cinq ans plus tôt, c'est chez les Viesse de Marmont, un couple attendrissant de vieux aristocrates dont le fils est devenu partisan des idées nouvelles, à l'horreur extasiée de ses parents. Le jeune capitaine Marmont, lui aussi, depuis Toulon, ne jure plus que d'après son ami Buonaparte. A Nice et à Toulon, Napoléon a laissé deux autres camarades à la vie à la mort : Muiron, toujours souriant, silencieux et brave, et Duroc, déjà le confident de toutes les heures, sérieux, un peu vide, un peu triste — fidèle.

Il a également laissé Désirée, brisée, sanglotante, qui lui a donné en viatique un médaillon de ses cheveux et lui écrit d'abord chaque jour à mesure que la distance les sépare : « Mon imagination croit te voir dans tous les chemins où je passe. Ta pensée me suit partout et me suivra jusqu'au tombeau. Oh ! mon ami, puissent tes serments être aussi sincères que les miens... »

Il lui répond souvent, mais, dès les premières lettres, on sent un décalage entre eux, la pensée de Napoléon s'exprimant à travers un moule factice : « L'espérance que ma bonne Eugénie pensera souvent à son bon ami et lui conservera les sentiments affectueux qu'elle lui a promis, peut seule alléger ma peine et rendre ma situation supportable... » On dirait l'œuvre d'un de ces écrivains publics qu'on trouvait alors à tous les coins de rue.

Le Paris où il lui faut bien tomber quand même avec sa petite bande le 25 mai, c'est le Paris de prairial an III, qui vient de vivre la convulsion décisive et où tous les comptes sont maintenant réglés. C'est fini. Les derniers jacobins sont écrasés. Collot et Billaud sont déportés ; Romme et Goujon vont être assassinés légalement. Le peuple maté rentre dans les faubourgs d'où il ne sortira plus avant 1830. Les « ventres pourris » ont vaincu les « ventres creux ». Un autre que Napoléon y perdrait la tête : la dernière fois qu'il a quitté Paris, en septembre 1792, les sans-culottes tenaient la rue, Louis XVI venait de tomber, la République se fondait dans le sang et l'ivresse de la liberté ; dans la ville qu'il retrouve, des jeunes gens riches qu'on dirait déguisés dans leurs costumes multicolores, les Incroyables, font la chasse aux gens du peuple avec d'énormes gourdins, quand ils n'assiègent pas d'étonnantes créatures à peine vêtues, les Merveilleuses. C'est la licence, la corruption, comme si le Palais-Royal, qui l'avait tant choqué à ses premiers pas dans Paris, avait débordé de son enceinte et submergé la ville.

Mais il ne s'attarde pas aux comparaisons; il a vieilli lui aussi, comme cette capitale épuisée parce qu'elle a essayé d'enfanter un monde. Il descend avec Louis et Junot à l'hôtel de la Liberté, rue des Fossés-Montmartre, qui s'appelle encore pour quelques semaines rue des Fossés-Mont-Marat, mais cela ne signifie plus rien. Et, selon son habitude, à peine arrivé, il fait le bilan de ce qui le concerne personnellement.

Ce n'est pas rose. Au fond de lui-même, et dans son strict intérêt, Napoléon eût sans doute préféré que l'autre parti ait le dessus : Ricord a disparu dans la tourmente en même temps que presque tous ceux qui avaient eu l'occasion d'apprécier Napoléon. La reprise de Toulon, c'est de l'histoire ancienne. Au ministère de la Guerre, le caprice des événements a placé Aubry, un artilleur, mais c'est tout le contraire d'une chance pour Buonaparte, car il s'agit d'un capitaine de 45 ans, aigri et buté, qui ne lui pardonnera jamais d'être général à 25 ans. Napoléon tente en vain d'exposer à Aubry ses éternelles idées sur l'Italie; il n'insiste pas trop, car il se heurte à un mur. On ne se donne même pas la peine de l'écouter. Pis encore, on lui signifie qu'en raison d'un rehaussement du niveau d'âge des cadres de l'artillerie, ce n'est plus dans son arme qu'on lui offre un poste en Vendée, mais à la tête d'une brigade d'infanterie.

Commander une guérilla dans les chemins creux où les chouans vous descendent comme des mouches? Non merci! Napoléon — dont la santé est effectivement très ébranlée par la gale de Toulon et minée par les soucis — obtient un congé de convalescence, et commence à arpenter le pavé de Paris en long et en large, à la recherche de nouveaux protecteurs qui puissent relancer sa carrière.

Dur été. La jeune Laure Permon se souviendra de l'avoir vu au bout de son rouleau, et ne donnait pas cher de sa peau. « A cette époque, Napoléon était si laid, il se soignait si peu que ses cheveux mal peignés, mal poudrés, lui donnaient un aspect désagréable. Je le vois encore traversant la cour de l'Hôtel d'un pas gauche et incertain, ayant un mauvais chapeau rond enfoncé sur les yeux et laissant échapper sa coiffure en oreilles de chien qui retombaient sur sa redingote, les mains longues, maigres et noires, sans gants, parce que, disait-il, c'était une dépense inutile, portant des bottes mal faites, mal cirées, et puis tout cet ensemble maladif résultant de sa maigreur, de son teint jaune... »

De *la Liberté*, il passe au *Cadran Bleu*, du *Cadran bleu* à *la Tranquillité* — et les vieilles façades encore debout aujourd'hui rue de la Huchette l'ont vu souvent déambuler flanqué de Louis, ruminant ses plans, ses projets, ses ressources, exclusivement mondaines. Dans la bande qui tient le gouvernement, il a quelques « points d'ancrages » possibles, Barras, notamment, qui était venu massacrer les royalistes dans Toulon repris par ses soins. Il cherche à revoir les Turreau. Fréron, un vieux beau pommadé à tempes grises, un autre massacreur, a courtisé Paulette, toujours à Toulon, et ne demanderait pas mieux que son frère l'aidât à continuer. On le reçoit donc souvent mieux qu'Aubry, on lui prodigue de bonnes paroles, on l'invite, mais, de semaine en semaine, il attend de plus en plus impatiemment et n'envoie aux siens que de maigres subsides sur sa demi-solde et des nouvelles pessimistes. Jusqu'au jour où, doucement, la malchance se dissipe, comme la fin d'un orage où il pleut encore. Le hasard des relations finit par récompenser sa longue patience de commis voyageur de soi-même.

Un sieur de Pontécoulant, digne représentant des nantis qui raflaient tous les emplois, se trouve propulsé à la présidence du Comité de la Convention pour la Guerre. Il en est heureux et fort contrarié à la fois, car il n'y connaît rien, et voudrait quelques conseillers de valeur, ne fût-ce que pour ne pas être ridicule aux yeux de ses collègues. On lui signale ce petit bout de général jaune qui arpente les antichambres. Il le convoque, est sidéré par tant d'aplomb dans une pareille carcasse, et lui demande de lui envoyer ses idées par écrit. Napoléon y passe des nuits, le séduit, le convainc de l'importance du théâtre d'opérations italien. Il est convoqué par la plupart des membres du Comité de salut public (de plus en plus provisoire, il est vrai), se fait apprécier de Sieyès, de Barras à nouveau, et même de Carnot qui consent à l'écouter enfin, et dont certaines préventions à son égard diminuent. A partir du 21 août, il peut se croire devenu le conseiller du gouvernement pour les affaires militaires, au moins pour le Midi. Il écrit à Joseph : « Je suis accablé d'affaires depuis une heure après-midi jusqu'à cinq heures au Comité, et depuis onze heures du soir jusqu'à trois heures du matin...» Le revoilà fier et « remis en selle ». Il abandonne le projet qu'il caressait depuis quelques jours d'aller se faire mettre à la disposition du Grand Turc, à Constantinople, encore vaguement allié à la France, et qui demandait des instructeurs pour moderniser son armée. Il écrit de moins en moins à Eugénie-Désirée, tout en se plaignant amèrement de ne pas assez recevoir de ses nouvelles — mais il faut bien qu'il se plaigne pour avoir, au moins à ses propres yeux, des excuses à la rupture inévitable. A partir du moment où deux cents lieues les séparaient, ils ne pouvaient pas ne pas rompre, d'autant que Napoléon ne l'avait jamais totalement aimée; au fond, il avait joué avec elle. En cet été brûlant des plaisirs déchaînés à Paris, dans cette explosion d'appétits et de passions d'un jour où les vies se rejouaient à fonds perdus, Napoléon se sent un peu le provincial soudain flatté d'être admis par le tourbillon parisien. Il dîne chez Tallien et subit comme les autres le charme lourd et pimenté de sa femme, la superbe Notre-Dame de Thermidor, et de ses amies fardées, vulgaires, caquetantes. Elles le troublent; il les amuse. Où est la légère Désirée, mince dans la lumière de Provence ? Elle ne « fait pas le poids » auprès de ces produits du luxe thermidorien.

Alors il lui écrit des lettres désabusées, presque paternelles : « Tendre Eugénie, tu es jeune. Tes sentiments vont s'affaiblir, se décaleront, et, quelque temps après, tu te trouveras changée. Tel est l'empire du temps. Tel est l'effet funeste, infaillible, de l'absence... » Il lui envoie des pages et des pages dans ce style.

Entre-temps, toujours chez Thérésa Tallien, il fait la connaissance d'une femme jolie, séduisante, plus fine que la plupart des Merveilleuses mais tout aussi fardée. Rose de Beauharnais, dont il ignore encore le second prénom, Joséphine, a ce charme créole qui en fait un oiseau des Isles, un petit air penché sur un long cou, une démarche inoubliable, et un art subtil de faire croire aux hommes que leurs propos l'intéressent, alors qu'elle ne s'intéresse absolument qu'à elle. Il la regarde, ne l'oubliera pas, s'informe, apprend qu'elle est veuve parce qu'on a guillotiné son mari, le général de Beauharnais, sous la Terreur, et passe à d'autres soucis. Mais l'image de Désirée pâlit un peu plus dans son cœur. Les « fiancés » se renverront la bague et les cadeaux en octobre, en ce mois de vendémiaire où l'édifice fragile de thermidor semble prêt à s'envoler sous un grand vent comme un château de cartes.

Il fallait bien que les survivants de la Convention se résignent à passer la main, d'une manière ou d'une autre, après s'être si longtemps entre-dévorés. Mais après tant d'ouragans et de débats géants, les petits hommes qui restaient en place avaient trouvé une combinaison assez curieuse, baptisée « Constitution de l'an III », qui instituait le Directoire : cinq petits rois aux habits tous pareils, dominés en fait par la personnalité puissante et frivole à la fois de Barras, un ancien officier noble qui avait adhéré à la Terreur puis montré un certain courage dans la lutte finale contre Robespierre. Grands gestes de Provençal aisé, accent chaleureux, talent d'orateur doué pour ne rien dire en se faisant écouter : l'opportuniste parfait, pas méchant, mais finalement centré sur son confort et ses plaisirs. Il s'appuyait sur deux ou trois cents députés qui lui ressemblaient au fond, mais n'avaient pas son envergure, son cynisme et sa bravoure physique.

Ensemble, tout ce petit monde avait enfanté un système génial pour se succéder à lui-même : les nouvelles assemblées créées par la Constitution comporteraient automatiquement une bonne partie des anciens députés. C'était toujours cela de gagné. Le peuple, dompté depuis prairial, ne bronchait plus — mais ce tour de passe-passe ne faisait pas l'affaire des royalistes qui relevaient la tête depuis des mois et comptaient bien que les thermidoriens allaient rendre la France au gros Louis XVIII sur un plateau. Ils se rassemblaient de plus en plus ouvertement et fréquemment dans leurs clubs à eux, nichés tout autour des Tuileries où siégeait la Convention, et formaient autour d'elle une sorte de cordon d'espionnage et d'agitation distinguée qui la déconcertait beaucoup : cela ne ressemblait guère aux éruptions des faubourgs, mais finalement cela pouvait être tout aussi dangereux.

Le 12 vendémiaire (4 octobre), Napoléon fait une apparition tardive, dans l'après-midi, chez les Permon. Ses yeux paraissent encore plus immenses : la fatigue, l'excitation. Il n'accepte qu'une grappe de raisin et un bol de café.

— J'ai déjeuné tard. On a tant et tant parlé politique que je n'en peux plus. Il se passe quelque chose de grave. Les royalistes vont marcher sur la Convention, à ce qu'on dit. Je vais aller aux nouvelles. Si j'apprends quelque chose d'intéressant, je viendrai vous le dire.

# La fièvre

*Paris - La route vers l'Italie : six mois*
*( 13 vendémiaire an IV - 10 germinal an IV )*
*[5 octobre 1795-30 mars 1796]*

« Josephine, Josephine ! Souviens-toi de ce que je t'ai dit quelquefois : la Nature m'a fait l'âme forte et décidée. Elle t'a bâtie de dentelle et de gaze. As-tu cessé de m'aimer ? ».

(Napoléon : *Lettre à Joséphine du 10 germinal*)

12 vendémiaire ; il pleut sur Paris, où les rues deviennent des bourbiers. Dans tous les « cafés chics » avoisinant les Tuileries, Napoléon avait remarqué depuis quelques jours déjà ces rassemblements de jeunes gens excités, les « Muscadins » en perruques blondes, en habits jaunes, roses, verts avec d'énormes cravates, des foulards de soie plutôt, qui leur mangent la moitié de la figure. Mais, ce soir, ils sortent du Tivoli, du Frascati, du Vauxhall, et se rassemblent ouvertement sur les places et dans les rues; ils ne tiennent plus seulement des cravaches ou des gourdins, mais de longs pistolets et des sabres. Ils sont comme « encadrés » par des hommes en costumes plus stricts, impeccablement poudrés et frisés : les revenants du 10 août parés pour la revanche. Ils cernent le grand palais triste et délabré où siègent ce qui reste de députés. Les royalistes sont sortis de leurs trous. Et ils sont des milliers. Qui donc disait qu'on en avait trop guillotinés ?

La Convention, affolée, s'est proclamée en séance permanente, ce qui veut dire qu'on y palabre interminablement dans la plus grande confusion sans rien décider. Mais on discute, on délibère aussi dans toutes les « sections » de Paris, quarante-huit petits parlements de quartier où l'on en a plus qu'assez des pourris qui gouvernent. Tout Paris est en conciliabule, une rumeur à ras des ruisseaux gonflés. Les sections populaires ne sont pas pour les royalistes, ah ça non! Pourtant elles ne bougeront pas un homme pour défendre les députés : ceux-ci leur ont arraché tout ressort et tout espoir au printemps. Que les messieurs dorés se trucident entre eux, ce sera un beau spectacle, et, pour une fois, le peuple occupera les premières loges. Il a cessé d'être acteur.

Mais les sections riches des quartiers des bords de Seine, et les gardes nationaux armés et bien habillés... par les thermidoriens pour intimider le peuple, sont tout prêts ce soir à se retourner contre les thermidoriens. On entend un drôle de cri autour des Tuileries :

— A bas les deux tiers !

C'est-à-dire à bas ces représentants qui se succèdent à eux-mêmes. Un autre cri s'entend chez les insurgés et les députés, à mesure que la nuit tombe et englue tout le monde dans le même brouillard : « Alors? Qu'est-ce qu'on fait? »

Napoléon a tout de suite saisi la situation : les conventionnels ne peuvent compter que sur une seule force organisée en face du noyau de la garde nationale, qui est en train de leur glisser des mains : le peu de troupes cantonnées dans Paris. Il griffonne un billet pour Joseph : « Quelques sections sont agitées. Ce sont quelques aristocrates qui voudraient profiter de l'état d'affaissement où l'on a tenu les patriotes pour les expulser et arborer la contre-Révolution. Mais les vrais patriotes, la Convention en masse, les armées, sont là pour défendre la Patrie et la Liberté. »

C'est dans cette volonté de résistance à l'émeute dorée qu'il se rend, le nez en l'air, toujours flairant la chance possible, à l'endroit le plus menacé, et d'où seul peut partir la contre-offensive : la salle des séances de la Convention. Il n'hésite pas entre elle et les rebelles; d'ailleurs, il n'a pas le choix, quoi qu'il pense au fond de lui-même des tristes pantins qui incarnent à présent « la Patrie et la Liberté » : ceux qui les attaquent sont plus dangereux pour la France, comme pour lui. Ce sont les amis des émigrés, de Paoli, des Anglais, ceux qui n'ont rien appris et rien oublié, les hommes de la vengeance et des privilèges. Ils remplaceraient la guillotine par l'antique potence, et l'un des premiers à s'y balancer serait le petit noble corse traître à sa caste et qui les a chassés de Toulon.

Il gagne les Tuileries à travers un décor étrange et irréel, des chuchotements, des groupes furtifs qui se réfugient sous des porches, des rues où les quinquets abattus ne servent plus à rien et où l'on ne sait quoi grouille dans le noir, çà et là des gendarmes effarés, sans ordre, des piquets d'infanterie démoralisés autour des faisceaux, une nuit qui ressemble à l'un de ces drames de Shakespeare où l'on sent que quelque chose d'immense se joue confusément à travers des discours bizarres. Il acquiert une certitude : demain ne sera pas une grande journée d'émeute massive, avec vastes mouvements de foule et bataille rangée. C'est une nuit à la 9 thermidor qui prépare un affrontement de petites bandes dispersées où la plus résolue, la plus organisée l'emportera. Et le général d'artillerie Buonaparte sait, depuis Auxonne, que c'est l'artillerie qui, même dans ce genre de combat-là, est la clé du succès. Si Robespierre avait eu davantage de canonniers devant l'Hôtel de Ville, le 9 thermidor...

Quand Napoléon parvient dans les tribunes de l'Assemblée, il y a d'abord de quoi être consterné : un petit monde affalé sur les gradins semble assister à sa décomposition, et entend déjà ses oraisons funèbres. Des orateurs creux se succèdent pour parler de leur droit. On compte vaguement sur le commandant en chef de l'armée parisienne, Menou, un général formé sous l'Ancien Régime — bien sûr, puisque c'est un noble — et qui a montré quelque résolution la veille en marchant sur l'Odéon, où s'étaient assemblés les contestataires, et en les en chassant. Mais ils se sont reformés en plus grand nombre encore au couvent des Filles Saint-Thomas, au cœur de la section Lepelletier qui anime l'insurrection — et Menou, qui a reçu mission d'aller aussi là-bas les disperser, semble s'être évanoui dans la pluie noire. En fait, il est quasiment prisonnier des révoltés chez qui il s'est imprudemment aventuré, et discute, discute interminablement lui aussi avec eux, au moins pour qu'ils le laissent s'en aller. On chuchote déjà dans les travées de l'Assemblée qu'il est en train de passer de leur côté, et reviendra peut-être, en effet, mais à leur tête.

Encore deux heures de parlotes, et la République est perdue...

Et puis, au creux de la nuit, à l'Assemblée, un nom jaillit soudain, celui du seul homme, ou à peu près, capable de résolution et d'action, celui qui l'avait déjà sauvée de justesse un an plus tôt des robespierristes insurgés : Barras ! Barras ! Il a également la qualité d'être à la fois officier et représentant. On destitue Menou et l'on nomme Barras commandant des troupes parisiennes, dans un grand mouvement d'agitation.

... Lequel a été le plus rapide ? Barras à convoquer Napoléon, qui lui avait fait savoir qu'il se tenait, sur place, à sa disposition, ou le petit général à dégringoler des tribunes et à se précipiter aux ordres, dans le salon fumeux, où Barras commence à compter ses forces ? On ne sait pas. De toute façon, Barras, en bon militaire, sait qu'il lui faut un officier d'artillerie dévoué à la Convention agonisante, et il ne pouvait pas ne pas faire appel à Buonaparte, puisque ce dernier était sous sa main.

Quelques mots rapides, un bref salut : Napoléon se trouve en fait chargé de défendre les Tuileries au nom de Barras, qui n'est pas fâché de rester sur place pour soutenir la volonté de l'Assemblée et pouvoir éventuellement se décharger sur un autre en cas d'échec.

209

Entre-temps, Menou est revenu; il n'a pas trahi, mais il n'est pas fier de lui. Napoléon l'interroge brièvement dans un cabinet des Tuileries, pendant qu'on entend sonner, tout près, le tocsin de Saint-Germain-l'Auxerrois et de Saint-Roch, et qu'une aube sale se lève, appelée par les tambours qui battent la générale chez les assaillants et les défenseurs. Napoléon se retrouve un peu comme à Toulon : une chance inouïe à sa portée, mais à un contre quatre ou cinq, et, cette fois, il n'a que quelques heures pour la saisir.

Combien d'insurgés prêts à marcher sur nous? Quarante mille environ. Combien avons-nous de soldats à leur opposer? Cinq mille. Où sont les canons disponibles à Paris? A une lieue d'ici, dans cette plaine de Grenelle que Napoléon connaît bien pour y avoir tant fait l'exercice, à côté de l'École militaire. Quelle folie d'avoir laissé ces pièces si loin du lieu à défendre, alors qu'elle peuvent renverser la situation ! Si nous en disposons, le nombre ne jouera plus contre nous. Mais les insurgés ne sont pas fous : leur chef, croit-on, c'est Danican, un Vendéen résolu, qui doit lui aussi être en train de chercher des canons.

Combien d'hommes, à Grenelle, pour les garder? Quinze. Napoléon lève les bras au ciel, et convoque le premier officier de cavalerie disponible. On lui amène un homme magnifique, un hercule au bon sourire et à l'accent rocailleux comme le Quercy d'où il s'est enfui de l'auberge paternelle pour s'engager dans les chasseurs à cheval.

— Comment t'appelles-tu?

— Joachim Murat, citoyen général, chef d'escadron au 21e de chasseurs.

— Combien d'hommes avec toi?

— Trois cents.

— Prends-les; cours ventre à terre à Grenelle, et ramène-moi les quarante pièces qui s'y trouvent. Il me les faut à tout prix.

Sabre au clair, ses gros cheveux noirs frisés tout dégoulinants de pluie, le capitaine Murat entre dans l'Histoire par cette chevauchée éperdue à travers les rues et les champs de Paris, qui lui rapportera douze ans plus tard le royaume de Naples. Quand ses chasseurs parviennent à la plaine de Grenelle, une forte troupe d'hommes débouchent de l'autre côté, et se préparent à saisir les canons : une colonne de gardes nationaux envoyés par Danican. Mais ils sont à pied. Que faire contre trois cents cavaliers qui se préparent à les sabrer? Ils se retirent. Une heure plus tard, les quarante pièces sont dans les jardins des Tuileries, à la disposition de Napoléon.

Le reste? On dirait la première application d'un problème de mathématiques aux impondérables de la guerre de rues. De six heures à neuf heures, Napoléon se rend en personne à toutes les rues et sur tous les ponts par lesquels on peut menacer les Tuileries, et il y place lui-même les canons et les artilleurs, notamment sur le Pont-Neuf — tiens, mais, qui est-ce qui commande ici? Carteaux, l'homme aux grosses moustaches, son ancien chef incapable de Toulon ! Napoléon ne s'attarde pas à savourer la rencontre; il en fait d'autres d'ailleurs : Brune, un admirable combattant des grandes journées révolutionnaires, auquel il confie le dernier pont de Paris en aval, l'ancien — et futur — Pont-Royal. Le laconisme, l'autorité brève et sèche de ce petit homme, « dont le désordre de sa toilette, ses longs cheveux pendants et la vétusté de ses hardes révélaient encore la détresse » (Thiébault), sidèrent les soldats de Paris qui se préparaient sans aucun enthousiasme à se faire écharper par l'offensive des quartiers riches. Totalement inconnu d'eux six heures plus tôt, il s'impose, et donne comme une nouvelle raison de lutter contre le retour du roi puisque la Révolution a donc quand même servi à l'éclosion de phénomènes aussi étranges.

Quand les hommes de Danican, rassemblés trop tard, débouchent pour un assaut conjugué, de la rive droite en partant de Lepelletier, de la rive gauche en partant du quartier de l'Odéon, et vont se rejoindre sur le Pont-Neuf que Carteaux — qui s'en étonnerait? — leur abandonne en hâte, ce n'est pas trop grave : une solide petite armée, disposant d'une puissance de feu inconnue jusqu'alors dans Paris, est retranchée autour des Tuileries, avec une forte réserve massée dans les jardins du Carrousel. Les canonniers se tiennent, mèche allumée, près des quarante canons qui peuvent d'un instant à l'autre balayer à boulets et à mitraille les rares espaces dégagés dans ce quartier encore très resserré : ils peuvent foudroyer quand ils veulent les quais et les ponts. Peu importe alors que tout un cercle autour du Louvre et des Tuileries soit aux mains des insurgés vers midi, qu'ils emportent successivement l'église Saint-Roch, le Théâtre-Français, l'hôtel de Noailles. Peu importe que les conventionnels soient au comble de l'affolement et se fassent distribuer des fusils et des gibernes « pour se faire tuer sur place au besoin ». Peu importe que des balles perdues roulent sur le perron des Tuileries. Napoléon attend son heure. Les signaux et les consignes ont été soigneusement prévus. Quand une colonne d'assaillants débouche sur le Pont-Royal par le quai Voltaire, une pièce de huit camouflée dans le cul-de-sac de la rue Dauphine donne le départ d'un feu d'artifice qui crache le feu, la mort, tout autour du camp retranché, en quelques minutes. Ce n'est pas seulement sur les marches de Saint-Roch, comme l'imagerie populaire les a si souvent représentés, que les royalistes sont hachés menu, c'est sur le Pont-Royal, aux guichets du Louvre, rue Saint-Honoré, rue Saint-Florentin. Profitant de leur confusion, des fantassins se ruent alors au corps à corps à partir du Carrousel, et il y a une ou deux heures d'égorgements presque sauvages qui mettent en déroute les insurgés vers la place Vendôme et le Palais-Royal, où on les traquera demain, individuellement. Les royalistes se le tiendront pour dit, et n'essaieront plus jamais une action violente pour ressaisir le pouvoir.

La pluie a cessé vers midi. Un grand vent d'équinoxe a pris sa place et sèche la boue mêlée de sang. Au soir, les députés rassérénés vont souper au champagne, comme le 10 thermidor, et ce sont les mêmes convives chez les mêmes traiteurs. Les Tuileries, pourtant, offrent un cadre beaucoup plus mouvementé : « C'était à la fois un sénat, un gouvernement, un quartier général, un hôpital, un camp, un bivouac... » (Thiébault). Tout le rez-de-chaussée est rempli de corps mutilés étendus sur la paille. Tel est, après Toulon, le second champ de bataille parcouru en vainqueur par Napoléon.

... Mais il est encore un vainqueur anonyme. Dans le *Moniteur* du lendemain, qui était le *Journal officiel*, tous les mérites de la victoire appartiennent à Barras, seul commandant attitré des défenseurs. Même les soldats et les officiers qui ont été galvanisés et dirigés par Napoléon pendant le combat ignorent son nom : il est « le petit général d'artillerie qui était avec Barras ». Le voilà contraint, pour récolter les fruits de cette journée, d'attacher encore plus étroitement son destin, provisoirement du moins, au clan de ceux qu'il vient de sauver. Qu'il le veuille ou non, il a choisi Barras, et sa société fétide. Il n'y regarde pas de si près : deux fois déjà, en Corse et après Toulon, il est retombé de haut. Cette fois, il se cramponne au succès, et ne le lâchera que pour un succès plus grand.

C'est dans cette perspective qu'il se montre tous les soirs dans le salon de cette jeune veuve, Rose, ou Joséphine de Beauharnais, dont il sait maintenant qu'elle est aussi la maîtresse de Barras. Son fils, le petit Eugène, est justement venu le voir, mêlé au tourbillon des solliciteurs et des complimenteurs. Il a demandé à Napoléon, avec des larmes dans la voix, qu'on lui laisse le sabre de son père guillotiné (un décret de la Convention venait de décider la saisie de toutes les armes chez les particuliers). Bonne occasion de faire une politesse à Joséphine — décidément il préfère ce prénom-là. Comme elle est gracieuse et prévenante à son égard, depuis qu'il a sauvé le régime ! Et tous ces gens qu'il rencontre chez elle et qui encombrent les avenues du pouvoir, les voici qui le regardent, l'entourent, le remarquent, le félicitent — le voici qui est obligé de compter, de composer, de se lier avec chacun d'eux. Il cotoye le monde — le demi-monde — qui va être le sien pendant le reste de sa vie : Madame Tallien, toujours aussi belle, et bien plus coquette à son égard, mais maintenant il lui préfère Joséphine; Cambacérès, un magistrat méridional cérémonieux et bouffi, qui ne pense qu'à manger; Fouché, le vrai vainqueur de Robespierre dans l'ombre, blême et glabre, les yeux rouges comme ceux d'un lapin; Méhul, l'auteur des grands hymnes solennels au rythme desquels processionnent les foules; David, son associé pour les cérémonies, le peintre toujours inquiet, tendu, qui se ronge les ongles et roule des yeux exorbités chaque fois qu'on lui rappelle son amitié avec Robespierre; un musicien, un officier, on ne sait pas très bien, Rouget de Lisle, qui a composé *la Marseillaise*; un homme grand et fat à la belle voix grave, l'acteur Talma; le financier Ouvrard, à l'aspect effacé d'un notaire de province, mais qui tient déjà dans ses mains la fortune, non seulement de ces gens toujours endettés, mais déjà un peu celle de la France; un autre général, Hoche, pas souple, aux aspects agressivement républicains, que Napoléon n'aime pas parce qu'il a été « très bien » avec Joséphine quand ils étaient tous deux dans les prisons de la Terreur; et cette petite fille candide et inquiétante, mais c'est déjà une femme, avec son front pur sous le bandeau noir : l'épouse du banquier Récamier.

Il y a aussi Fréron, l'un des plus véreux; ce sera lui l'instrument du destin, après Barras. C'est bien la preuve que Napoléon n'avait plus à faire le dégoûté.

Fréron, le chef des Incroyables et des Muscadins, prononce un grand discours à la Convention le 19, pour célébrer la victoire du 12, et c'est alors seulement que le nom du général BuonaParte (ainsi l'orthographiera le *Moniteur*) franchit le cercle étroit des milieux informés et entre dans le domaine public. C'est par la voix de Fréron et ses formules ampoulées que la France apprend que Barras n'a gagné la journée que grâce à l'aide inestimable du général d'artillerie. Docile et soulagée, la Convention acclame son cosauveteur, et l'on assiste avec moins de surprise à sa promotion foudroyante : général de division le 24 vendémiaire, et général en chef de l'armée de l'Intérieur, c'est-à-dire de toutes les troupes qui ne sont pas aux frontières, le 3 brumaire.

Le voilà enfin « arrivé », et, ce qui est plus nouveau, connu. Mais certes pas honorablement. Quels parrains pour un baptême ! Par toute la France, qui est en train de subir en maugréant l'installation du Directoire, on assimile immédiatement aux pourris ce Corse inconnu qui vient de sortir de sa boîte pour fusiller des Français en plein Paris, et l'on ne doute pas un instant qu'il soit la créature de Barras. C'est « le général Vendémiaire ». Un espion royaliste écrit à ses chefs que « Barras a fait nommer commandant de Paris un Corse scélérat, absolument livré aux Thermidoriens ». Et comme il ne fait guère d'efforts pour soigner un peu son physique (on dirait même qu'il met une sorte de défi à accentuer ses défauts), sa présentation, qui l'aidait auprès des soldats au feu, le dessert partout ailleurs, et prête à une profusion de caricatures. Barras lui-même dit sans trop se cacher que « sa figure bilieuse, où les os semblent percer la peau, rappelle celle de Marat ». Les descriptions qu'on colporte de lui en cette fin d'année ressemblent à un musée des horreurs. On « en remet » : long cheveux embroussaillés, corps maigre perdu dans une redingote trop large, les gestes saccadés d'un épileptique, une parole sans nuances, que l'accent corse déforme. « Je vois encore son petit chapeau surmonté d'un panache de hasard assez mal attaché, la ceinture tricolore plus que négligemment nouée... et un sabre qui, en vérité, ne paraissait pas l'arme qui dût faire sa fortune » (Thiébault). Bien sûr : encore un de ces généraux politiciens qui traînent dans les antichambres...

Il s'en moque bien, de ces quolibets. Il ne perd pas un jour pour s'installer dans le bel hôtel du Gouvernement militaire, place Vendôme, qu'on appelle encore place des Piques; il a des ordonnances, des domestiques, des voitures, un peloton d'escorte, des fonds secrets en sus d'un traitement somptueux; c'est lui maintenant qui peut inviter les autres.

Tout de suite, il pense aux amis : il prend Marmont et Junot comme aides de camp — et même Louis, qui n'y a pas le moindre droit d'après le règlement militaire. Tout de suite aussi, d'ailleurs, il répand sur les siens la corne d'abondance qui vient de lui choir entre les mains, comme s'il craignait qu'elle ne s'en échappât : à sa mère et ses sœurs, il envoie l'équivalent de plusieurs millions de nos anciens francs (1957) en « chiffons, bijoux, assignats, monnaie »; il convoque l'abbé Fesch pour lui servir de secrétaire; il nomme un Ramolino « directeur des vivres »; il case ses trois autres frères : Joseph consul à l'étranger, Lucien « commissaire des guerres », Jérôme dans une pension « chic » à Saint-Germain. La tribu des Buonaparte est comblée comme un vol de sauterelles affamées.

Quant à lui, on le dirait atteint d'une sorte de besoin névrotique de sécurité, « d'établissement » à tout prix. Une angoisse de retomber de nouveau. Seule cette peur — il n'est pas encore amoureux de Joséphine, attiré seulement par elle — peut expliquer qu'il ait demandé en mariage, en novembre... la veuve Permon, sa « correspondante » quand il était à l'École militaire, et qui a près de trente ans de plus que lui. Elle rit de bon cœur :

— Laissons cette plaisanterie ! Etes-vous fou?

Il lui explique gravement :

— Tout ceci est très sérieux; l'âge de la femme

que j'épouserai m'est indifférent... J'ai réfléchi mûrement à ce que je viens de vous dire. Je veux me marier...

Parce qu'un homme pourvu d'une position élevée ne peut pas rester célibataire dans cette société-là : il faut recevoir, tenir table ouverte se tenir au courant des potins. Parce que son poste au centre des armées de France lui donne un reflet qu'il sait passager, une notoriété provisoire, une sorte de « valeur-or » à monnayer auprès d'une personne qu'il veut s'attacher par un contrat plus que par les liens du cœur, et qui lui apportera, comme les Clary auraient pu le faire, une dot pour asseoir sa situation financière.

Madame Permon a haussé les épaules, mais il continue de chercher, et cela se sait bien vite; c'est donc Joséphine, poussée par Barras, qui fait les premières avances. Elle lui écrit, le 6 brumaire au soir :

« Vous ne venez plus voir une amie qui vous aime; vous l'avez tout à fait délaissée; vous avez bien tort, car elle vous est tendrement attachée.

« Venez demain, septidi, déjeuner avec moi. J'ai besoin de vous voir et de causer avec vous sur vos intérêts.

« Bonsoir, mon ami, je vous embrasse.

Veuve Beauharnais.

Et elle, alors, pourquoi? Qu'est-ce qu'il lui prend? Elle a tous les soirs des hommes par dizaines qui lui font la cour, et elle est la maîtresse de Barras, le presque-roi du jour. Personne ne pourrait sérieusement prétendre qu'elle éprouve le moindre attrait pour Napoléon, dont elle se moque même déjà peu charitablement, certains soirs, derrière son éventail. Elle n'est même pas capable, comme Désirée, de regarder ses yeux et de ressentir tout ce qui passe dans un de ses regards.

Seulement voilà : on la courtise, mais pour un soir, une semaine, un mois; on ne l'a pas demandée en mariage depuis longtemps. Même Hoche, un si bel homme à côté d'un Buonaparte, et qu'elle semble avoir sincèrement aimé, dans la mesure où cela lui est possible, même Hoche s'en est bien gardé. Et quant à Barras, rectifions : elle est *une* de ses maîtresses. Elle sent bien qu'il voudrait maintenant la tenir à distance, quitte à s'en servir de temps à autre comme d'une agréable espionne mondaine. Elle se trouve donc, avec deux enfants encore à sa charge, dans la situation la plus angoissante pour une femme qui a trente ans passés et ne vit à peu près que de ses charmes dans ce milieu blasé : il ne lui reste que très peu de temps à elle aussi pour atteindre la sécurité d'un « remariage de raison ». Or elle a cru remarquer qu'elle n'était pas indifférente à Buonaparte. Elle apprend qu'il cherche une épouse de son côté... Pourquoi ne saisirait-elle pas l'occasion?

Pour Barras, c'est tout simple : il se débarrasse à moitié de Joséphine en lui rendant service et, par elle, il tiendra de plus près ce militaire capable et ambitieux dont il pourrait bien, un jour, avoir encore besoin.

Napoléon va donner dans ce piège d'or et de soie comme un sous-lieutenant.

Il répond avec d'autant plus d'empressement au billet de Joséphine qu'il la croit vraiment riche, sur la caution de Barras. N'habite-t-elle pas, comme une princesse égyptienne, le délicieux petit hôtel en demi-lune de la rue Chantereine, du marbre, du bois de rose, des tapis, des flambeaux? Il ne sait pas qu'un de ses amis de rencontre le lui a offert en cadeau, en le rachetant à Julie Talma qui déjà y recevait Mirabeau... Il regarde avec une attention nouvelle cette jolie moue qu'elle fait quand elle sourit, ses toilettes exquises en taffetas, en gaze et en mousselines nuancées. Il se force à ne pas voir la couche trop épaisse de ses fards, les rides aux coins des yeux. Il passe outre à la frivolité de ses propos, du moment qu'elle feint admirablement d'écouter la gravité des siens.

La fille de Joséphine, Hortense, douze ans, mais déjà fine mouche, s'aperçoit bien vite qu'il est pris : « A table, je me trouvai placée entre ma mère et un général qui, pour lui parler, s'avançait toujours avec tant de vivacité et de persévérance qu'il me fatiguait et me forçait de me reculer... Il parlait avec feu et paraissait uniquement occupé de ma mère. C'était le général Bonaparte. »

Courant janvier (il neige sur Paris), tout se passe apparemment comme prévu : un soir, par hasard, Joséphine reçoit Napoléon en tête à tête et s'attarde avec lui au salon, après avoir renvoyé les domestiques. Il part très tard dans la nuit. Ils sont « fiancés ».

Mais elle est stupéfaite de recevoir la lettre brû-

lante qu'il lui écrit dès sept heures du matin :
« Je me réveille plein de toi. Ton portrait et le
souvenir de l'enivrante soirée d'hier n'ont point
laissé de repos à mes sens. Douce et incompa-
rable Joséphine, quel effet bizarre faites-vous sur
mon cœur !... Tu pars à midi, je te verrai dans
trois heures. En attendant, *mio dolce amor*,
reçcis un millier de baisers, mais ne m'en donne pas, car ils brûlent mon sang... » Elle lit,
elle rit, « qu'il est *drolle*, ce Buonaparte... »,
dit-elle de cette voix qui chante tout le temps.
« *Mio dolce amor...* » A-t-on idée ! Un militaire ! Un commandant d'armée ! Un monsieur
qui veut « s'établir » ! On s'attendait bien à tout,
sauf à cela : qu'il soit amoureux.

Il l'est; comme il ne l'a jamais été et ne le sera
plus jamais. C'est l'explosion d'un long besoin
de tendresse refoulée, la révélation de tout ce que
l'amour peut ajouter à une vie, une façon
presque désespérée de faire une sortie, comme
une garnison assiégée, à travers ce décor sordide
où il s'enfonçait, et au moment même où il
y sombrait. Joséphine, sans le chercher outre
mesure, mais parce qu'elle est bonne fille,
douce et maternelle dans l'intimité, est parvenue
à le tromper non seulement sur sa fortune, mais
sur sa capacité de passion, que nous savons
fort limitée. Elle en est preque gênée : aucun
homme n'a été fou d'elle à ce point. Mais si
cela facilite les choses, pourquoi le contrarie-
rait-elle ? Elle continue à faire semblant. Les
bans de leur mariage sont publiés le 19 pluviôse.
Et c'est Marmont qui semble avoir réagi avec
le plus de bon sens devant ce retour de romantisme tout à fait imprévisible chez son meilleur

ami : « Le général Bonaparte était devenu très amoureux de Madame de Beauharnais, amoureux dans toute la force de sa plus grande acception. C'était selon l'apparence sa première passion, et il la ressentit avec toute l'énergie de son caractère. Il avait vingt-sept ans, elle plus de trente-deux. Quoiqu'elle eût perdu toute sa fraîcheur, elle avait trouvé le moyen de lui plaire, et l'on sait bien qu'en amour, le pourquoi est superflu. On aime parce qu'on aime. »

Mais leur mariage est finalement bien triste, bien laid, le 19 ventôse (9 mars 1796). Neuf heures du soir dans un Paris en retard d'un printemps et qui ne se doute de rien. Témoins : Barras et Tallien, deux des pires écumes de ce qu'il y a eu de manqué dans la révolution. Cadre : un salon anonyme de la mairie de la rue d'Antin; Napoléon a deux heures de retard, comme pour marquer une dernière velléité d'indépendance ; la veille, on a triché sur le contrat chez le notaire, Joséphine faisant marquer qu'elle avait des millions à la Martinique, dont son mari ne verra jamais un sol, et Napoléon biffant d'une plume rageuse la mention humiliante — et véridique — spécifiant « qu'il ne possède aucun immeuble, ni aucuns biens mobiliers autres que sa garde-robe et ses équipages de guerre ». Aujourd'hui, on triche à la mairie sur l'âge du marié, qui se vieillit de dix-huit mois, et sur celui de la mariée, qui se rajeunit de deux ans. Quelques flambeaux, cinq personnes, la fatigue, les paroles de convention... Une calèche donnée par Barras les emporte ensemble vers la rue Chantereine, où ils ont déjà l'habitude de se retrouver chaque soir.

Le véritable cadeau de mariage, c'est, dès le lendemain, le départ du marié. Pour prendre le commandement de l'armée d'Italie.

Il avait continué à penser à son plan — on aurait pu dire à ne penser qu'à l'Italie, dans la mesure même où son mariage n'était qu'une étape vers l'aboutissement, si Joséphine soudain ne s'était pas révélée aussi forte que son rêve. Mais pas plus que lui; malgré tout, malgré elle, il avait persisté dans son harcèlement des directeurs, des ministres, des stratèges. La France restait en guerre avec l'Autriche et divers satellites des Habsbourg en Italie. Il allait falloir, au printemps, recommencer à se défendre à l'est — si possible en attaquant. Jusque-là, Carnot (maintenant l'un des cinq Directeurs) était d'accord. Mais il s'obstinait à vouloir attaquer surtout au nord, vers le cœur de l'Allemagne, avec la valeureuse armée du Rhin, commandée par des généraux qui valaient à ses yeux dix fois plus qu'un Buonaparte : Moreau, Marceau. Napoléon, appuyé sur son expérience, son intuition, son penchant, et les messages que les jacobins italiens multipliaient à l'intention de la République française, affirmait toujours plus haut qu'il fallait attaquer par le Piémont.

L'armée de l'Intérieur ne l'intéressait pas vraiment. Il n'avait nul goût pour demeurer le grand gendarme du Directoire. Il ne se sentait pas encore chez lui à Paris : adopté seulement, mais il commençait à savoir ce que peut durer ce genre d'adoption-là. S'il avait pu devenir ministre de la Guerre, diriger vraiment des opérations, comme Carnot le faisait depuis trois ans, oui, peut-être... Mais qui aurait, de loin, obéi au général Vendémiaire? Déjà on rouspétait dans l'armée d'Italie : son chef, Schérer, un vieux soldat sans imagination, soutenu par ses divisionnaires, s'irritait des conseils qu'on lui donnait et qui commençaient, à cause de Napoléon, à changer de ton et à le pousser à l'aventure. Il avait fini par envoyer sa démission vers le 15 février en repoussant un plan de campagne qu'il jugeait trop audacieux : « Que celui qui l'a conçu vienne l'exécuter ! »

Pour une fois, tout le monde avait répondu chiche ! Napoléon, qui n'attendait que ce défi-là depuis trois ans, Barras, pour lui faire un peu plaisir et l'éprouver un peu, Carnot, à condition que cette offensive en Italie ne soit qu'une diversion (il n'en démordait pas), un soutien à l'offensive principale de l'armée du Rhin. Le général Bonaparte (première fois qu'un acte officiel fait sauter l'*u* de son nom) avait été nommé commandant en chef de l'armée d'Italie à la place de Schérer le 12 ventôse, sept jours avant son mariage — et, s'il y était arrivé en retard, c'est qu'il travaillait depuis, nuit et jour sur les plans de la région, comme s'il ne les connaissait pas déjà par cœur.

Au soir du 11 mars 1796, Napoléon se jette dans une chaise de poste qui l'attend à la grille de la rue Chantereine. Il part vers son rêve devenu réalité, mais la maladie de l'amour le frappe soudain d'une sorte de malédiction, qui le rend incapable de joie. Joséphine a bien promis de le rejoindre là-bas le plus vite possible, mais elle retourne vite à son petit chien, Fortuné, à son boudoir, à ses amies, à ses amis... Ce mariage, qu'il avait d'abord conçu comme une étape vers la réussite, se met maintenant en travers de son élan et lui complique la vie; pour la première fois peut-être, il n'est plus l'homme d'un seul but, et se sent écartelé :

« Je n'ai pas passé un jour sans t'aimer, je n'ai pas passé une nuit sans te serrer dans mes bras... Au milieu des affaires, à la tête des troupes, en parcourant les camps, mon adorable Joséphine est seule dans mon cœur... Si je m'éloigne de toi avec la vitesse du torrent du Rhône, c'est pour te revoir plus vite... »

Il lui écrit cela, et bien d'autres choses, le 30 mars, de Nice, où il vient d'arriver.

Mais il vient également de recevoir une lettre de Désirée Clary, qui lui écrit de Marseille :

« Vous êtes donc marié. Il n'est plus permis à la pauvre Eugénie de vous aimer, de penser à vous, et vous disiez que vous m'aimiez... Je ne puis m'accoutumer à cette idée, elle me tue... Mes malheurs m'apprennent à connaître les hommes et à me méfier de mon cœur. »

# L'action

*Nice-Montenotte-Mondovi-Lodi : deux mois*
*(10 mars-10 mai 1796)*

« Qu'est-ce que l'avenir ? qu'est-ce que le passé? Qu'est-ce que nous? Quel fluide magique nous environne et nous cache les choses qu'il nous importe le plus de connaître? Nous passons, nous vivons, nous mourons au milieu du merveilleux »

(Napoléon : *Lettre à Joséphine du 5 avril 1796*)

20 mars. Il passe à Marseille pour se débarrasser d'abord des histoires de famille. Il va revoir sa mère, ses sœurs. Et il se fait recevoir ! Lui qui vient de les couvrir de cadeaux, de leur ouvrir le pactole, et part à la conquête de l'Italie, se fait laver la tête par sa mère comme un petit garçon. Il n'avait même pas eu le courage de lui annoncer par écrit son mariage avec Joséphine, et lui délivre la nouvelle avec une brusquerie gênée qui montre bien son peu de fierté de la chose. Toute la famille, d'ailleurs, fait bloc autour de Madame Lætizia dans sa réprobation. Une créole ! Une veuve avec deux enfants, comme si l'on n'avait pas encore assez de soucis dans la tribu ! Une intrigante sur le compte de qui l'on raconte que...

Il se fâche, coupe court et part vers l'est. Il a tout de même tant et si bien contre-attaqué que sa mère consentira à expédier, après huit jours, à Joséphine, une lettre qui est un modèle de condescendance glacée, rédigée sans doute par Fesch. Les deux femmes se haïront franchement, toute leur vie.

24 mars. Il va prendre sa revanche sur les petits amis d'antan. Il passe à Toulon, où les autorités viennent le saluer, lui qui avait tant traîné misère par là. Le contre-amiral Decrès, qui l'avait connu à Paris, court au-devant de lui les bras ouverts, pour faire parade de leur amitié devant les autres... Ses bras retombent le long du corps : il avouera lui-même que « l'attitude, le regard, le son de la voix de Napoléon suffirent pour m'arrêter... A partir de là, je n'ai jamais été tenté de franchir la distance qui m'avait été imposée ». Une fois pour toutes, Napoléon a revêtu ce masque romain nécessaire au chef plus jeune que ses subordonnés, et il se trouve à son aise dessous. Rien ne lui fait plus horreur que la familiarité.

25 mars. A Antibes, il montre le même visage impérieux à un nouveau collaborateur qui entre dans sa vie et n'est pas près d'en sortir. Le général Berthier, chef d'état-major de l'armée d'Italie, est venu au-devant de lui pour le mettre au courant. Grosse tête sur un petit corps trapu, il se ronge les ongles et bredouille un peu, mais c'est déjà un vieux briscard qui se battait avec La Fayette et Rochambeau en Amérique. Excellent « bureaucrate aux armées », il n'a pas son pareil pour adresser des états et expédier des ordres en plusieurs exemplaires, même si les boulets pleuvent autour de lui. Il renseigne le nouveau commandant en chef vite et bien : on dispose à ce jour de 38 000 hommes en état de marche, nu-pieds pour la plupart. En face,

le vieux général Beaulieu commande à 80 000 Autrichiens et Sardes bien équipés. Les Français manquent d'ailleurs d'à peu près tout : vêtements, vivres, munitions. L'armée de Nice est placée de façon ridicule, étirée tout le long de la côte jusqu'à Ormea, en Italie, parallèlement aux ennemis qui la dominent du haut des Apennins : s'ils avaient seulement l'idée de descendre sur elle, ils la jetteraient aux poissons. Berthier avertit Napoléon : les généraux qui la commandent ne songent qu'à se tirer de ce guêpier, et traitent tout haut de folie pure les desseins offensifs dont ils le savent animé.

27 mars. Nice : ils ne sont pas si terribles que ça, ces quatre « divisionnaires », c'est-à-dire Masséna, Sérurier, Laharpe et Augereau, qui commandent chacun à dix mille hommes environ. Plutôt que de les traiter de haut, comme Decrès, Napoléon préfère jouer d'une autre arme où il est expert : la cajolerie. Il les bombarde de questions, les flatte en écoutant leurs avis, leur ment sans vergogne en leur annonçant des renforts imaginaires. Et les séduit en leur promettant des honneurs et des avantages. On le connaît d'ailleurs déjà dans les états-majors; par ici, on n'a pas oublié Toulon. Un homme aussi cupide que Masséna, ce Niçois basané au visage d'oiseau de proie, ne pouvait qu'être aguiché par la théorie que Napoléon leur expose d'emblée : la guerre doit nourrir la guerre. Une seule ressource possible pour le ravitaillement : le pillage organisé des terres conquises. Et si les soldats ont de petits besoins,

rien n'interdira à leurs chefs d'en éprouver de plus grands.

31 mars. Nice, place de la République : au tour des hommes maintenant, qu'il passe en revue et harangue par petites phrases décousues, heurtées, mais qu'il martèle et répète avec tant de conviction qu'elles s'enfoncent dans les crânes. « Soldats ! Vous êtes nus, mal nourris; on vous doit beaucoup, on ne peut rien vous donner ... Je viens vous conduire dans les plus fertiles plaines du monde... De riches provinces, de grandes villes seront en notre pouvoir, et là, vous aurez richesses, honneurs et gloire... Soldats d'Italie, manqueriez-vous de courage? » Telles sont *les* proclamations de Napoléon à l'armée d'Italie, car il y en a eu plusieurs, toutes du même registre. Le scepticisme, l'opportunisme qui font maintenant l'essentiel de sa personnalité lui permettent de chercher et de trouver — très bas — les ressorts qui font marcher le militaire à coup sûr : l'envie, la honte. Il devient populaire en quelques jours dans les bivouacs.

2 avril : départ de l'armée qui sort de Nice et « transhume » par le chemin de corniche, tout juste bon pour les mulets, et qui n'offre à plus de cent endroits qu'un passage de deux à trois mètres entre les rochers abrupts de la mer, en bas. Des montées et des descentes à vous casser les reins, surtout quand on traîne les pièces et les caissons d'artillerie. Le soleil étincelant, mais encore frais, donne bon moral à ce troupeau

d'hommes en guenilles qui se croyaient à tout jamais oubliés au fond d'une guerre inutile. Napoléon a déjà son idée — répondant à ce qu'il a préparé méthodiquement depuis 1793 — et prévoit de glisser cette interminable file le long de la mer, le plus loin possible vers Gênes, puis de la ramasser en un coup de poing serré qu'il décochera soudain dans le ventre de l'ennemi en remontant vers le nord. En une série de coups de poing, plutôt. Sa tactique sera toujours aussi simple que l'œuf de Christophe Colomb; elle consiste à profiter systématiquement des moments où les forces ennemies sont séparées pour marcher à elles et les écraser l'une après l'autre.

12 avril. C'est le moment : les Autrichiens, enfin alarmés, descendent les Apennins et attendent les Français à une vingtaine de kilomètres un peu au-dessus de Savone, sous le village de Montenotte. Pluie froide, mauvais temps comme il fait souvent à cette époque-là en Italie du Nord. C'est la première grande bataille rangée que Napoléon commande en chef — et, s'il a le trac, il le cache bien. Calme, froid, il se tient à cheval au centre de ses troupes, avec Berthier et Masséna, qui lui témoignent déjà le même respect qu'à un Kellermann ou à un Jourdan. Il a veillé à l'emplacement de l'artillerie, bien sûr, mais se révèle d'emblée capable d'échapper aux obsessions de sa spécialité en faisant donner la cavalerie et avancer les lignes au bon moment. A forces égales, les Français dominent dès le début, et la bataille n'est jamais

indécise. Trois redoutes édifiées en hâte tiennent bon devant les assauts successifs des Autrichiens, qui se retirent au soir vers le nord.

13 avril. A gauche, Augereau, piqué au jeu, se déchaîne à Millesimo, où un général sarde, Provera, tente de s'accrocher avec quinze cents hommes aux flancs d'une gorge encaissée. Les Italiens, bousculés, emportés, se réfugient dans les ruines du château de Cosseria. On dirait un combat du Moyen Age : on lance de là-haut des pierres énormes sur les Français. A six heures du soir, Napoléon arrive sur place, s'avance au milieu du feu, ordonne à un jeune général qu'il distingue pour son cran et son intelligence, Joubert, d'en finir avec ce bon sang de château, qui s'effondre dans la nuit. On fait mille prisonniers.

Montenotte, Millesimo : on tient deux points solides entre lesquels l'armée d'Italie va pouvoir déboucher du sud dans l'immense plaine du Pô. Plus tard, quand on voudra flatter Napoléon et lui chercher des ancêtres royaux, il répondra tranquillement : « Ma noblesse date de Montenotte. » Sans réfléchir peut-être que c'était la première victoire qu'il avait remportée sans qu'elle écrase aussi des Français.

17 avril. Il se porte sur les hauteurs de Montezemolo, et ressent, en assistant au passage de la division Augereau dans la plaine, une émotion qui le prenait encore à la gorge vingt ans plus tard : « Ce fut un sublime spectacle. De là, se

découvraient les immenses et fertiles plaines du Piémont. Le Pô, le Tanaro, et une foule d'autres rivières serpentaient au loin; une ceinture de neige et de glace, d'une prodigieuse élévation, cernait à l'horizon ce riche bassin de la Terre promise. Ces gigantesques barrières, qui paraissaient les limites d'un autre monde, que la nature s'était plu à rendre si formidables, venaient de tomber comme par enchantement...» (Mémorial). Et encore, ce cri : « Hannibal avait forcé les Alpes, nous, nous les aurons tournées ! » Il se sent comme porté au-dessus et au-delà de lui-même. Ah, si seulement Joséphine répondait à ses effusions ! « Je ne suis pas content... Ta dernière lettre est froide comme l'amitié. Je n'y ai pas trouvé ce feu qui allume tes regards, et que j'ai cru quelquefois y voir... » (du 12 avril). Les silences, les réticences de sa femme lui empoisonnent le plus beau moment de sa vie, la récompense de trois ans d'efforts, le couronnement d'une formation ingrate. Comment se douterait-il qu'elle ne lit même pas ses lettres, rebutée par l'infernal gribouillage à déchiffrer?


21 avril. Il a franchi le Tanaro. Il a deux fois de suite culbuté les Autrichiens à Dego. Il a failli être battu par une résistance désespérée des Piémontais à San Michele (qu'il n'avouera pas dans ses rapports au Directoire). Mais il les a finalement fait plier, séparés des Autrichiens, et il a poussé les hommes du général Colli jusque sous Mondovi. Bataille le lendemain de 8 à 19 heures, autour d'une redoute où les

Italiens se font hacher sur place. Les soldats, du moins, car des civils renseignent les Français et, dès que la ville est prise, plantent un arbre de la Liberté sur la place bombardée en criant : « Vive la République ! » La route de Turin est ouverte, mais Napoléon ne tient pas à s'y engager : c'est la Lombardie occupée par les Autrichiens qu'il vise, Milan, et il voudrait se débarrasser du Piémont. Il sait qu'à Turin la petite cour d'opérette du roi de Sardaigne, Victor-Amédée, s'agite dans l'affolement total. Et il n'a secoué ses troupes si fort que pour l'épouvanter davantage. Bien joué : le roi lui envoie le 23 une demande d'armistice.

Napoléon écrit à Barras : « Jusqu'à présent, j'ai livré six batailles à l'ennemi, je lui ai fait, en dix jours, 12 000 prisonniers; je lui ai tué 6 000 hommes, pris 21 drapeaux et 40 canons. Tu vois que je n'ai pas perdu mon temps. » Le même jour, à Joséphine : « Viens vite... Tu vas venir n'est-ce pas? Tu vas être ici, à côté de moi, sur mon cœur, dans mes bras? Prends des ailes, viens ! »

27 avril. Il reçoit en pleine nuit les plénipotentiaires sardes, une poignée de dignitaires effarés qui ignoraient son nom six mois plus tôt et s'attendent à se trouver devant une sorte de boucher en bonnet rouge. Or « son maintien est grave et froid. Il a cet air d'aisance que donne l'usage du monde. Il a cette carnation égale et blême qui est l'annonce des plus grandes facultés de l'âme ». (Costa de Beauregard). Il alterne la courtoisie et la colère cal-

culée, impose des conditions dures, et arrache la signature en annonçant qu'il va reprendre l'attaque générale dans deux heures. Et puis il invite gaiement les diplomates à un souper improvisé « une espèce de médianoche sur une table chargée d'une multitude de flambeaux ». Du pain gris, du bouillon gras, des viandes grossières et du vin d'Astéran : toute la gueuserie des troupes françaises étalée sous le nez de ceux qui viennent de plier les genoux devant elles. C'est le meilleur repas de la vie de Napoléon. Sans se coucher, il dicte d'un trait sa première vraie proclamation *rédigée* à ses soldats : « Dénués de tout, vous avez suppléé à tout... Vous avez gagné des batailles sans canons, passé des rivières sans ponts, fait des marches forcées sans souliers, bivouaqué sans eau-de-vie et souvent sans pain... Vous avez encore des combats à livrer, des villes à prendre, des rivières à passer.. Vous n'avez rien fait, puisqu'il vous reste encore à faire... »

Il a trouvé son ton, son style. Quelque chose passe de lui aux hommes, une volonté, un magnétisme qui les grise et les anesthésie à la fois. On dirait que depuis un mois il s'est comme enfanté lui-même, dans une sorte de crépitement général de sa personnalité provoqué par la mise en lumière de tous ses dons qui ne sont plus tenus en bride à partir du moment où il commande en chef : l'autorité, l'activité, la vitesse, la mémoire du terrain, le juste calcul des forces, l'intuition presque poétique du moment.

« Il reste encore à faire... » Certes ! Le Piémont réduit à merci, sus à Beaulieu lui-même, aux Autrichiens, qui, repliés derrière le Pô entre la Sezia et le Tessin, peuvent encore fondre à tout moment avec cinquante mille hommes sur l'armée épuisée de Napoléon ! Celui-ci emploie un moyen qui lui réussira si souvent, mais finira par le perdre un jour, beaucoup plus tard : le *bluff*. Plus il est menacé, mal approvisionné, affaibli, plus il se lance en avant et joue quitte ou double. Il met ses hommes en marche vers Parme et Plaisance et s'offre le plaisir au passage de faire signer aussi une paix séparée au prince de Parme. Pour franchir le Pô sous Plaisance, il se heurte à la pénurie totale d'équipages de pont, qui sera le terrible handicap de sa première campagne d'Italie. Il n'a pas pu emporter de France un seul élément volant permettant de jeter des ponts sur une rivière un peu large. L'obsession de la vitesse, l'importance de l'enjeu, lui font perdre son sang-froid pour la première fois depuis le début de la campagne, et ses hommes le voient trépigner d'impatience et jeter son chapeau dans les eaux du grand fleuve en crue, tandis qu'on réquisitionne les barques à dix lieues à la ronde.

7 mai : des nouvelles de Joséphine — elle attend un enfant de lui ! Cet homme qui est en train d'ébranler un des plus vieux empires du monde s'attendrit, mignarde, la supplie de se ménager et renonce à la supplier de venir le rejoindre. Joséphine a gagné quelques semaines de paix à ce stratagème, car il s'agit d'un mensonge pur et simple. Emerveillé plus tard, beaucoup plus tard, il dira à Sainte-Hélène : « Personne ne savait mentir aussi constamment qu'elle. »

Enfin, on a réuni assez de barques à Plaisance et aux environs. Un chef de brigade, un nommé Lannes, passe le fleuve le premier avec sept cents hommes. Beaulieu se croyait tellement bien couvert par l'obstacle naturel qu'il n'a placé là que deux escadrons de hussards, vite culbutés. Lentement, trop lentement, tout le reste de l'armée suit Lannes, mais le destin commence à hésiter : les Français n'ont pas soufflé depuis près d'un mois, et les munitions se raréfient. Napoléon masse en tête les régiments les moins éprouvés et leur fait encore accentuer leur allure, quitte à les séparer du gros des forces. Stratagème dangereux si Beaulieu s'en aperçoit, mais qui réussit dans ce cas. Le vieil Autrichien, tout à fait déconcerté, replie et concentre toutes ses forces plus loin au-delà du Tessin, derrière une méchante rivière, large et tumultueuse, l'Adda. Il voudrait bien aussi tendre un piège à ces diables de Français. Un peu plus bas, Milan est à leur portée, la plus grande ville du Nord, le symbole de l'occupation autrichienne. Déjà la ville, livrée à elle-même, traverse une étrange fête au ralenti, un suspense entre le cauchemar et le rêve : les patriotes italiens n'osent pas croire à leur bonheur, se risquent timidement dans les rues abandonnées, les dames brodent des fanions et des drapeaux tricolores et préparent des bouquets pour l'entrée des libérateurs. Mais Napoléon hésite : s'il occupe Milan et que demain, Beaulieu, revenant sur lui, l'encercle, le coupe de la France et l'anéantit ? Il n'hésite que quelques heures avant de refuser le piège et d'aller chercher la bataille avant le bonheur.

Il prendra Milan, mais une fois sûr de lui. Il n'a rien gagné de décisif tant qu'il n'a pas vaincu ce qu'il est finalement venu chercher en Italie : la principale armée autrichienne.

10 mai 1796. Presque personne n'a dormi cette nuit-là entre le Tessin et l'Adda, dans cette vaste étendue où deux grandes armées, deux mondes, jouaient depuis deux jours au chat et à la souris. Napoléon moins encore que tous les autres. Il est monté à cheval à trois heures. Il trouve Masséna et le général Kilmaine à Casalpusterlengo, dans une aube humide et pleine de chants d'oiseaux. Le jour commence à se lever. Bientôt des coups de feu isolés, puis des décharges plus fournies font taire les oiseaux — et confirment aux chefs français qu'une importante affaire est engagée non loin, sur l'Adda. Quel est le nom de cette bourgade, assez importante, trois églises, une cathédrale ? Lodi. Napoléon, toujours en avance, n'a que peu d'hommes sous la main, mais les fait se lancer à la conquête de la ville, ce qui est facile, puis se masser sur les bords de l'Adda pour tenter de le franchir. Là, rien à faire apparemment : sur l'autre rive, des masses d'hommes sont échelonnées en profondeur avec de l'artillerie. On se trouve en face de presque toute l'armée autrichienne, à un contre cinq ou six, et toujours sans équipages de pont. D'ailleurs, quand il y en aurait un...

Il y en a un.

C'est incroyable ! Qu'est-ce qui a pris à Beaulieu, un chef aussi prudent, de laisser intact ce long pont de bois de 195 mètres qui, tout près de Lodi, semble narguer les Français? Peut-être est-ce un piège après tout. Peut-être est-il tellement sûr de sa force — au moins dix mille hommes et trente canons en première ligne — qu'il veut nous attirer sur sa rive, nous piéger, nous dévorer peu à peu à mesure que nous passerons? Et puis, c'est facile à dire, « passer » ! Passer à deux ou trois de front sur un pont de bois de deux cents mètres ou presque, sous un déluge de boulets sans doute chauffés à blanc !

...Mais si l'on ne passe pas aujourd'hui, si les Français s'immobilisent, l'arme au pied, au bord de l'Adda, tout est compromis, leur élan sera cassé net. Beaulieu s'apercevra de leur épuisement, se glissera entre Milan et eux, écrasera les jacobins milanais qui ont trop tôt montré le bout de l'oreille, recevra des renforts et passera à la contre-attaque. Montenotte, Millesimo, dix victoires pour rien. Les survivants rentreront en France l'épée dans les reins, ridiculisés.

Napoléon compte ses forces : il lui manque la division d'Augereau, celle de Masséna, qui sont trop loin pour arriver à temps, même si leurs chefs sont là. On ne fait pas quarante kilomètres à pied en un après-midi. Il n'a que son avant-garde, quoi, deux mille hommes, pas même — et quelques escadrons de cavalerie. Mais on ne va pas traverser l'Adda à la nage sur le dos des chevaux?

A midi, il décide d'attaquer le pont de Lodi sous le feu de l'ennemi. Il fait amener deux canons, des pièces de huit. Il les place lui-même dans l'axe du pont. A son signal, les artilleurs français font décharges sur décharges, pour surprendre et aveugler les Autrichiens massés à l'autre bout. Kilmaine, un rude entraîneur d'hommes, lance ses grenadiers sur le pont. L'ennemi n'est pas assez occupé par les deux canons français, il se ressaisit, et bientôt c'est une grêle de projectiles qui s'abat sur les grenadiers. Ils hésitent; ils commencent à reculer.

Napoléon ferme les yeux; ce n'est pas seulement Montenotte qui est en cause, c'est sa vie entière : Brienne, Auxonne, Toulon, vendémiaire — pour rien? Il se lance sur le pont, bras dessus bras dessous avec Kilmaine, Junot, Marmont, Muiron, tous ceux qui veulent le suivre. Il agite quelque chose, on ne voit pas bien dans la poudre et la poussière, un drapeau, d'autres disent un chapeau, une écharpe. Il fait honte aux hommes qui vacillaient. Il forme avec eux un groupe compact qui se relance au pas de course, et arrive — éclairci par l'absence de ceux qui sont tombés — sur les Autrichiens saisis. La panique change de camp. Une sorte de furie anime les Français qui passent le pont en désordre, se répandent en tirailleurs à droite, à gauche, font croire aux Autrichiens qu'ils sont tournés et les empêchent de se reprendre. A six heures du soir Beaulieu donnait l'ordre d'une retraite qui se poursuivra jusqu'au Mincio. Napoléon entrera en triomphe à Milan dans trois jours.


Au soir du 10 mai, l'évêque de Lodi est venu le complimenter, dans le palais épiscopal où il avait offert l'hospitalité au vainqueur. Dehors, des gens criaient « *Evviva Buonaparte !* » Mais le citoyen-général, dos à la cheminée, semblait un peu ivre de fatigue et perdu dans un rêve — déjà un autre. Déjà plus loin, beaucoup plus loin. « Le soir de Lodi, je voyais le monde fuir devant moi. Après Lodi, je me regardais, non plus comme un simple général, mais comme un homme appelé à influer sur le sort d'un peuple. Alors naquit la première étincelle de la haute ambition. »

Revenir en France; balayer ces planches pourries sur lesquelles il avait dû prendre appui. Punir Joséphine si elle est infidèle, l'éblouir, la reconquérir si elle ne l'est pas. Ne plus jamais être appelé le général Vendémiaire. Oublier la Corse. Dominer la France. Oublier la France. Dominer l'Europe. Oublier l'Europe, cette taupinière. Dominer l'Orient et l'Occident. Laisser un nom comme Hannibal ou Alexandre : rien qu'un prénom. Ne plus jamais être appelé « le citoyen Bonaparte... »

table

# Collection folio junior

*Série "plein vent"*

# DÉJA PARUS

**Le prince d'Omeyya** *par Anthony fon Eisen*

Sur sa jument Saffana, le jeune prince d'Omeyya échappe aux meurtriers de sa famille. Une impitoyable poursuite et une fabuleuse chevauchée à travers l'Empire arabe.

**Le cimetière des cachalots** *par Ian Cameron*

Parti à la recherche du légendaire cimetière des cachalots, Donald Ross disparaît au cœur des glaces arctiques. Ses sauveteurs devront affronter les mystérieux Eskimos blonds.

**Alerte à Mach 3** *par Donald Gordon*

On l'a baptisé le Star Raker ; c'est le plus récent des avions supersoniques volant à Mach 3. Le prototype est au point : la construction en série peut commencer. C'est alors que les difficultés se multiplient : et d'abord, les meilleurs pilotes d'essai sont atteints d'une maladie mystérieuse...

**Le soleil d'Olympie** *par Jean Séverin*

La trêve sacrée vient interrompre la guerre entre Sparte et Athènes. Place aux joutes pacifiques du stade où le jeune Philippe et son quadrige de chevaux blancs vont faire merveille.

**Kopoli, le renne guide** *par Jean Coué*

En Laponie, dans le Grand Nord glacé... La migration d'un clan sous la conduite d'un renne : Kopoli. La lutte des hommes et des animaux contre les fauves et le froid.

**L'île aux fossiles vivants** *par André Massepain*

Naufragés en plein Pacifique, Gilles et Jérôme abordent à une île peuplée d'étranges fossiles. Un récit haletant qui transporte de l'actualité la plus brûlante aux temps préhistoriques.

**Pièges sous le Pacifique** *par Willard Price*

Les fonds du Pacifique cachent de terribles monstres marins. On peut y rencontrer aussi des pilleurs d'épaves qui ne sont pas moins implacables.

**La vallée des mammouths** *par Michel Peyramaure*

Il y a trente ou quarante mille ans : une nouvelle *Guerre du feu* écrite à la lumière des dernières découvertes de la préhistoire.

**Austerlitz** *par Claude Manceron*

La plus fameuse victoire de Napoléon reconstituée et racontée par le célèbre historien, auteur des *Hommes de la liberté*.

### Sierra brûlante *par Pierre Pelot*

Evadés d'une réserve, un Indien navajo, sa femme et son fils traversent le désert. Persuadé que le fuyard a tué son père, Walker organise une impitoyable chasse à l'homme.

### L'homme de la rivière Kwaï *par Jean Coué*

L'ancien aviateur Andrews Connaway se rend, trente ans après la dernière guerre mondiale, en Thaïlande pour retrouver la tombe de Eddie Barnès, son meilleur ami. Mais Connaway trouvera la tombe ouverte. Qu'est devenu Eddie Barnès ?

### L'histoire d'Helen Keller *par Lorena A. Hickok*

La vie de l'héroïne du captivant *Miracle en Alabama*. La lutte d'une jeune fille sourde, aveugle et muette contre l'infirmité et sa victoire sur la nuit et le silence.

### Le citoyen Bonaparte *par Claude Manceron*

Ce livre suit pas à pas ce qui s'est vraiment passé en Corse, ou plutôt entre la France et la Corse, pendant la genèse de Napoléon. Hors de la légende, dans la réalité de chaque épisode et de chaque parole — plus belle, comme toujours, que la fiction — voici pourquoi et comment Napoléon, au-delà de la Corse et même de la France, a été conduit à rêver à l'Empire du Monde.

### Les flibustiers de l'uranium *par André Massepain*

Les héros de *L'Ile aux fossiles* vivants partis prospecter l'uranium dans le Grand Nord, se retrouvent malgré eux, au fin fond de la forêt brésilienne...

**Six colonnes à la une** *par Pierre Gamarra*

Un récit haletant où se découvrent les joies et les dangers d'un passionnant métier : le journalisme.

**Les révoltés de Saint-Domingue** *par Bertrand Solet*

Un roman où la noblesse du cœur, l'amour, le courage et la traîtrise sont inextricablement mêlés.

*Cet ouvrage
a été achevé d'imprimer
sur les presses de l'imprimerie Bussière
à Saint-Amand (Cher), le 27 mai 1980.
Dépôt légal : 2ᵉ trimestre 1980.
Nᵒ d'édition : 26824.
Imprimé en France.
(1043)*